# BAISE-MOI

Virginie Despentes publie son premier roman, *Baise-moi*, en 1993. Il est traduit dans plus de vingt pays. Suivront *Les Chiennes savantes*, en 1995, puis *Les Jolies Choses* en 1998, aux éditions Grasset, prix de Flore et adapté au cinéma par Gilles Paquet-Brenner avec Marion Cotillard et Stomy Bugsy en 2000. Elle publie *Teen Spirit* en 2002, adapté au cinéma par Olivier de Pias, sous le titre *Tel père, telle fille*, en 2007, avec Vincent Elbaz et Élodie Bouchez. *Bye Bye Blondie* est publié en 2004 et Virginie Despentes réalise son adaptation en 2011, avec Béatrice Dalle, Emmanuelle Béart, Soko et Pascal Greggory. En 2010, *Apocalypse bébé* obtient le prix Renaudot. Virginie Despentes a également publié un essai, *King Kong Théorie*, qui a obtenu le Lambda Literary Award for LGBT Non Fiction en 2011. Elle a réalisé sur le même sujet un documentaire, *Mutantes, Féminisme Porno Punk*, qui a été couronné en 2011 par le prix CHE du London Lesbian and Gay Film Festival.

*Paru au Livre de Poche :*

APOCALYPSE BÉBÉ

BYE BYE BLONDIE

LES CHIENNES SAVANTES

LES JOLIES CHOSES

KING KONG THÉORIE

TEEN SPIRIT

VERNON SUBUTEX (2 tomes)

# VIRGINIE DESPENTES

## *Baise-moi*

ROMAN

GRASSET

© Éditions Grasset & Fasquelle, 1999.
ISBN : 978-2-253-08755-7 – 1$^{re}$ publication LGF

# PREMIÈRE PARTIE

Et parce que tu es tiède, et que tu n'es ni chaud
ni froid, je te vomirai par ma bouche.

Fedor MIKHAILOVITCH D.

Ma mère m'avait dit que j'étais fait pour l'amour
Je ne connais que le sexe et même pas tous les jours.

Sale DEF.

# 1

Assise en tailleur face à l'écran, Nadine appuie sur « Avance rapide » pour passer le générique. C'est un vieux modèle de magnétoscope, sans télécommande.

À l'écran, une grosse blonde est ligotée à une roue, tête en bas. Gros plan sur son visage congestionné, elle transpire abondamment sous le fond de teint. Un mec à lunettes la branle énergiquement avec le manche de son martinet. Il la traite de grosse chienne lubrique, elle glousse.

Tous les acteurs de ce film ont des faciès de commerçants de quartier. Le charme déconcertant d'un certain cinéma allemand.

Une voix off de femme rugit : « Et maintenant, salope, pisse tout ce que tu sais. » L'urine sort en joyeux feu d'artifice. La voix off permet à l'homme d'en profiter, il se précipite sur le jet avec avidité. Il jette quelques coups d'œil éperdus à la caméra, se délecte de pisse et s'exhibe avec entrain.

Scène suivante, la même fille se tient à quatre pattes et écarte soigneusement les deux globes blancs de son gros cul. Un type semblable au premier la bourre en silence.

La blonde a des minauderies de jeune première. Elle se lèche les lèvres avec gourmandise, fronce le nez et halète gentiment. La cellulite bouge par paquets en haut de ses cuisses. Elle s'est légèrement bavé sur le menton et on voit bien les boutons sous le maquillage. Une attitude de jeune fille dans un vieux corps flasque.

À force de bouger son cul du plus convaincant qu'elle peut, elle parvient même à faire oublier son ventre, ses vergetures et sa sale gueule. Tour de force. Nadine allume une clope sans quitter l'écran du regard. Impressionnée.

Changement de décors, une fille noire aux formes contenues et soulignées par une robe de cuir rouge rentre dans une allée d'immeuble. Se fait bloquer par un type cagoulé qui la menotte prestement à la rampe d'escalier. Puis il l'empoigne par les cheveux et la force à le sucer.

La porte d'entrée claque, Nadine grommelle un truc concernant « cette conne qui ne devait pas rentrer manger ». Au même moment, le type du film dit : « Tu verras, tu finiras par l'aimer ma queue, elles finissent toutes par l'aimer. »

Séverine hurle avant même de quitter sa veste :

— Encore en train de regarder tes saloperies.

Nadine répond sans se retourner :

— T'arrives pile au bon moment, le début t'aurait déroutée, mais même à toi cette négresse doit pouvoir plaire.

— Éteins ça tout de suite, tu sais très bien que ça me dégoûte.

— En plus, les menottes c'est toujours efficace, j'adore ça.

— Éteins cette télé. Tout de suite.

C'est le même problème qu'avec les insectes qui s'habituent à l'insecticide : il faut toujours innover pour les liquider.

La première fois que Séverine a trouvé une cassette porno qui traînait sur la table du salon, elle a été tellement choquée qu'elle n'a pas protesté. Mais elle s'est considérablement endurcie depuis et il en faut toujours davantage pour la neutraliser.

De l'avis de Nadine, c'est d'une véritable thérapie qu'elle la fait profiter. Elle se débloque du cul, progressivement.

Pendant ce temps, la black a effectivement pris goût au phallus du type. Elle le happe goulûment et fait bien voir sa langue. Il finit par lui éjaculer en travers de la gueule et elle le supplie de la prendre par le cul.

Séverine se poste à côté d'elle, évite scrupuleusement de regarder l'écran et passe dans les aigus crispants :

— T'es vraiment malade et tu finiras par me rendre malade.

Nadine demande :

— Tu pourrais aller à la cuisine, s'il te plaît ? Je préférerais me masturber devant la télé, ça me gonfle de toujours aller faire ça dans ma chambre. Remarque, tu peux rester si tu veux.

L'autre s'immobilise. Elle essaie de comprendre ce qui se passe et de trouver quoi répondre. Pas facile pour elle.

Satisfaite de l'avoir décontenancée, Nadine éteint le magnétoscope : « Je plaisantais. »

Visiblement soulagée, l'autre boude sans conviction puis se met à parler. Elle raconte quelques conneries sur sa journée de travail et file à la salle de bains voir la tête qu'elle a. Elle se traque le corps avec une vigilance guerrière, déterminée à se contraindre le poil et la viande aux normes saisonnières, coûte que coûte. Elle glapit :

— Et personne n'a appelé pour moi ?

Elle s'acharne à croire que le garçon qui l'a grimpée la semaine passée va se manifester. Mais ce garçon n'avait pas l'air stupide et il est peu vraisemblable qu'il le fasse.

Séverine pose la même question tous les jours. Et tous les jours, se répand en lamentations courroucées :

— Jamais j'aurais cru qu'il était comme ça. On avait super bien discuté, je comprends pas pourquoi il rappelle pas. C'est dégueulasse, comment il s'est servi de moi.

Servi d'elle. À croire qu'elle a le con trop raffiné pour qu'on lui fasse du bien avec une queue.

Elle profère quant au sexe des inepties du genre avec une déroutante prodigalité, discours complexe et rempli de contradictions non assumées. Pour l'instant, elle répète avec véhémence « qu'elle n'est pas une fille comme ça ». Pour Séverine, le générique « fille comme ça » résume correctement ce qui se fait de pire dans le genre humain. Sur ce point précis, elle mériterait d'être rassurée : elle est conne, sidérante de prétention, sordide d'égoïsme et d'une écœurante banalité dans le moindre de ses propos. Mais elle n'est pas une fille facile. Conséquemment, elle se fait très rarement besogner, elle en aurait pourtant grand besoin.

Nadine la regarde de côté, résignée à faire office de confidente. Elle suggère :

— Rédige un contrat pour une prochaine fois. Comme quoi le type s'engage à te tenir compagnie le lendemain, ou à te rappeler dans la semaine. Tant qu'il signe pas, t'écarte pas.

Il faut encore un peu de temps à Séverine pour comprendre si elle doit prendre ça pour une attaque, une boutade ou un judicieux conseil. Elle opte finalement pour un petit rire délicat. Subtilité affectée d'une effroyable vulgarité. Puis elle poursuit impitoyablement :

— Ce que je ne comprends pas, c'est que ce n'est pas le genre de mec à sauter sur n'importe quelle fille, autrement j'aurais pas voulu dès le premier soir. Il s'est vraiment passé un truc entre nous. En fait, je crois que je lui ai fait peur, faut pas croire : les garçons ont toujours peur des filles qui ont une forte personnalité.

Elle aborde volontiers le thème de sa « forte personnalité ». Tout comme elle évoque facilement sa vive intelligence ou l'étendue de sa culture. Énigme du système mental, Dieu seul sait comment elle s'est mis ça en tête.

Il est vrai qu'elle soigne sa conversation. Elle l'émaille de bizarreries dûment accréditées par le milieu qu'elle fréquente. Elle se compose également une série de références culturelles qu'elle choisit comme ses accessoires vestimentaires : selon l'air du temps, avec un talent certain pour ressembler à sa voisine.

Elle s'entretient donc la personnalité comme elle entretient l'épilation du maillot, car elle sait qu'il faut jouer sur tous les tableaux pour séduire un garçon. Le but ultime étant de devenir la femme de quelqu'un et, avec le mal qu'elle se donne, elle envisage de devenir la femme de quelqu'un de bien.

L'intuition masculine aidant, les garçons se tiennent à bonne distance du bonsaï. Elle finira pourtant par s'en attacher un. C'est alors dans son crâne à lui qu'elle fera ses besoins quotidiens.

Nadine s'étire, compatit sincèrement avec le pauvre bougre qui s'y laissera prendre. Elle se lève et va chercher une bière. Séverine la suit à la cuisine sans s'interrompre. Elle en a fini avec le goujat qui ne rappelle pas, elle reprendra ça demain. Elle s'attaque avec ardeur à l'inventaire des derniers ragots.

Appuyée contre le Frigidaire, Nadine la regarde mâcher sa salade.

Elles ont emménagé ensemble pour des raisons purement pratiques. Petit à petit, la cohabitation est devenue pathologique, mais ni l'une ni l'autre n'ont les moyens d'habiter seule. De toute façon, Nadine ne peut se présenter aux régies alors qu'elle n'a aucune fiche de paie. Et Séverine la supporte mieux qu'elle en a l'air. Fondamentalement masochiste, elle éprouve un certain plaisir à être brusquée. Perverse sans convivialité.

Nadine finit sa bière, fouille le cendrier à la recherche d'un mégot récupérable parce qu'elle a la flemme de descendre au bureau de tabac. Elle trouve un joint qu'on a laissé s'éteindre à moitié fumé. Il reste largement de quoi être raide et cette découverte la met de bonne humeur.

Elle attend patiemment que Séverine reparte travailler, lui souhaite courtoisement bonne journée. Elle fouille dans sa chambre parce qu'elle sait qu'elle y a caché du whisky. Puis elle s'en remplit un large verre et s'installe devant la télé.

Elle allume le biz, s'applique à retenir la fumée le plus longtemps qu'elle peut. Pousse le volume de la chaîne à fond et met le magnétoscope en marche sans le son.

*I'm tired of always doing as I'm told, your shit is starting to grow really old, I'm sick of dealing with all your crap, you pushed me too hard now watch me snap.*

Elle sent la distance entre elle et le monde brusquement pacifiée, rien ne l'inquiète et tout l'amuse. Elle reconnaît avec joie les symptômes d'une infinie raideur.

Elle se laisse glisser au fond du fauteuil, se débarrasse de son pantalon et joue avec sa paume au-dessus du tissu de sa petite culotte.

Elle regarde sa main bouger entre ses cuisses en cercles réguliers, accélère le mouvement et tend son bassin.

Elle relève les yeux sur l'écran, la fille penchée sur la rampe d'escalier secoue la tête de droite à gauche et son cul ondule pour venir engloutir le sexe du garçon.

*There's an emotion in me, there's an emotion in me. Emotion n° 13 blows my mind away, it blows me away.*

## 2

— Mais on ne peut pas rester sans rien faire.

L'enfant proteste avec véhémence. Désolé et choqué de ce que Manu se résigne aussi facilement. Il reprend sur un ton de reproche :

— C'était un de tes meilleurs amis, il est mort assassiné. Et tu restes là, sans rien faire.

Jusque-là, il s'en était tenu à un discours prudent et général sur la violence policière, l'injustice, le racisme et les jeunes qui doivent réagir et s'organiser. C'est la première fois qu'il la somme aussi directement de partager son indignation.

Il évoque les émeutes que l'accident devrait susciter avec une émotion visible. Comme d'autres parlent boxe, sexe ou corrida. Certains mots clés déclenchent en lui une projection interne où il se voit viril face aux forces de l'ordre, renversant des voitures aux côtés de camarades très dignes et résolus. Et ces images le bouleversent. Il est sublime et héroïque.

Manu n'a pas l'âme d'une héroïne. Elle s'est habituée à avoir la vie terne, le ventre plein de merde et à fermer sa gueule.

Il n'y a strictement rien de grandiose en elle. À part cette inétanchable soif. De foutre, de bière ou de whisky, n'importe quoi pourvu qu'on la soulage. Elle en rajoute même un peu dans l'apathie et le sordide. Ne déteste pas se vautrer dans le vomi. Elle est en relative osmose avec le monde, trouve presque tous les jours de quoi boire et un garçon pour l'enfiler.

L'enfant ne se rend pas compte de ça, combien la révolution est trop loin de son trou pour l'intéresser. De plus, il faut pour s'exalter comme il le fait un sens de la sublimation et du respect de soi qui font défaut à Manu.

Elle fouille dans un tiroir à la recherche d'une bouteille de vernis à ongles. Elle l'interrompt sèchement :

— Qu'est-ce que tu viens me faire chier à domicile toi ? Mais, putain, d'où tu sors pour me donner des leçons ? Et comment tu peux affirmer qu'il a été assassiné ?

— Tout le monde le sait, tu disais toi-même que…

— Je raconte ce que je veux et je bois assez pour qu'on y fasse pas attention. En plus, moi j'ai dit que ça lui ressemblait pas de se pendre et c'est toi qu'as traduit que c'était les flics qui l'avaient rectifié. Et je te déconseille de confondre mes conneries avec les tiennes.

Elle a trouvé sa bouteille de vernis et la tient serrée dans son poing qu'elle brandit très près du nez de l'enfant. Il se rétracte prudemment, bredouille quelque chose signifiant qu'il s'excuse, qu'il cherchait pas à la blesser. En partie, parce qu'il n'est pas méchant ; en partie, parce qu'il la croit capable de lui fracasser la tête. Elle n'a pas la violence maîtrisée et elle n'attendra pas que le moment soit politiquement adéquat pour se défouler.

L'enfant a raison de battre en retraite parce qu'elle est effectivement sur le point de le cogner.

Elle sait tout aussi bien que lui que Camel ne s'est sûrement pas pendu tout seul. Il était trop fier pour ça. Et même s'il n'était pas très doué pour vivre, il y trouvait suffisamment d'agréments pour continuer encore un moment. Et surtout, Camel ne se serait pas suicidé sans égorger une bonne demi-douzaine de ses contemporains. Elle l'a assez connu pour en être persuadée. Ils s'entendaient plutôt bien, traînaient volontiers ensemble et partageaient les mêmes théories sur quoi faire pour bien rigoler.

Son corps a été découvert la veille, pendu dans un couloir. Les dernières personnes à l'avoir vu vivant sont les flics responsables de sa conditionnelle. Personne ne saura jamais ce qui s'est réellement passé. Et l'enfant a raison, c'est difficile même pour elle d'admettre ça sans rien faire. Elle y parviendra cependant.

Elle n'aime pas les ruses qu'il déploie pour l'associer à son indignation, ni qu'il cherche à s'approprier cette mort pour servir ses convictions. Il a le sentiment que ce cadavre lui revient de droit, sera politique ou ne sera pas. Il la méprise ouvertement pour sa lâcheté. Manu lui trouve la gueule singulièrement épargnée pour se permettre du mépris, elle pourrait arranger ça.

Elle prend soin d'ouvrir une bière d'avance avant de commencer à se vernir les ongles. Elle sait d'expérience qu'elle a soif bien avant qu'ils soient secs. Elle hésite, puis en propose une au morveux pour lui montrer qu'elle ne lui en veut pas plus que ça. D'ici peu de temps, elle sera trop déchirée pour que cette histoire l'affecte. Elle finit toujours par bien se faire à l'idée qu'il y a une partie de la population sacrifiée ; et dommage pour elle, elle est tombée pile dedans.

Elle met autant de vernis sur la peau que sur les ongles parce que sa main tremble toujours un peu. Pourvu que ça fasse de la couleur sur les queues quand elle les branle…

L'enfant a un regard réprobateur en la voyant faire. Le vernis à ongles ne fait pas partie de ce qu'il considère comme juste. C'est une marque de soumission à la pression machiste. Mais comme Manu appartient à la catégorie des oppressés victimes d'un manque d'éducation, elle n'est pas tenue d'être éthiquement correcte. Il ne lui tient pas rigueur de ses manquements, il a juste pitié d'elle.

Elle souffle bruyamment sur sa main gauche avant de commencer la droite. L'enfant lui fait penser à une vierge égarée dans les douches d'une prison pour hommes. Le monde ambiant l'offense avec un acharnement lubrique. Il est effarouché par tout ce qui l'entoure, et le diable use de tous les coups de vice pour lui défoncer la pureté.

On sonne à la porte. Elle lui demande d'ouvrir en agitant les mains pour que ça sèche plus vite. Radouan entre.

Il connaît l'enfant de vue car ils habitent le même quartier, mais sa présence chez Manu le déconcerte un peu car ils ne s'adressent jamais la parole. Les gauchistes prennent les Arabes pour des cons réactionnaires et facilement religieux. Les Rebeux prennent les gauchistes pour des clochards imbibés d'alcool et massivement homosexuels.

Radouan déduit finement qu'elle a attiré l'enfant chez elle histoire de le prendre sur son ventre. Ça ne l'étonne pas d'elle. Il demande s'il dérange en adressant discrètement à Manu des signes de connivence grivoise. Tellement discrètement que l'enfant rougit violemment et se tortille sur sa chaise. Le sexe, encore un sujet sur lequel on ne plaisante pas.

Manu ricane bêtement avant de répondre à Radouan :

— Bien sûr que non, tu déranges pas. On s'est croisés à l'épicerie, il est monté me parler de Camel. T'as mangé ? Il reste des pâtes au Frigidaire.

Radouan se sert, fait comme chez lui parce qu'il est tellement souvent là qu'il y est comme chez lui. L'enfant a repris la parole, ravi d'avoir un nouvel interlocuteur.

Il reproduit ce qu'il dénonce avec une inquiétante tranquillité d'esprit. Petit-fils de missionnaire, il entreprend de convertir les indigènes du quartier à son mode de pensée. Ne leur veut que du bien, aimerait pouvoir les éclairer.

L'enfant n'est pas très perspicace, mais il comprend néanmoins rapidement que Radouan est encore moins sensible à son discours que Manu. Profondément peiné, il prend congé.

Manu lui dit gentiment au revoir. Le pire, avec les cons, c'est qu'ils ne sont strictement antipathiques que dans les films. Dans la vraie vie, il y a toujours quelque chose qui traîne de chaleureux, d'aimable.

Et puis l'enfant n'a pas tort dans le fond. Il n'y a bien que les flics qui soient strictement détestables dans la vraie vie.

Elle passe une deuxième couche de vernis sans attendre que la première soit sèche. Parce qu'elle n'a pas que ça à foutre. Radouan sort une barre de tamien avec fierté :

— T'as des feuilles à rouler ?

— Dans la corbeille derrière toi. Tu fumes maintenant, toi ?

— Ça va pas, non ? C'est pour toi, c'est cadeau du King Radouan.

— Il est dealer comme son grand frère maintenant, Trou-du-cul Radouan ?

— T'occupe… Je fais mon business, j'ai la situation bien en main.

— Je m'en occupe pas. C'est pour ça qu'en ce moment t'es sapé comme un dur ? On dirait que t'es sponsorisé par toutes les firmes de sapes de luxe de la planète. Tout le monde en parle de ton business dans le quartier, t'es tellement con que tu vas pas attendre de te faire embarquer par les flics pour t'attirer des ennuis, tu vas te faire coincer avant par les mecs du quartier…

— T'inquiète, j'te dis, t'y connais rien. Fais confiance et goûte le tamien du King Radouan, c'est le meilleur de tout le pays et c'est cadeau pour toi.

Il colle soigneusement ses deux feuilles. Comme il ne fume pas, il n'a pas l'habitude de rouler et il fait ça avec précaution. Mouille la cigarette sur toute sa longueur et l'éventre, comme il l'a vu faire par les anciens. Il jubile parce qu'il est bien habillé et qu'il peut faire un cadeau à Manu.

Elle jubile moins parce qu'elle a entendu de sales histoires sur son compte. Des embrouilles qu'il faisait à des gens qui ont perdu l'habitude de se faire embrouiller. Elle ne trouve rien à lui dire pour le raisonner. Elle n'avait rien trouvé à dire non plus quand il a commencé à dealer. Aucun projet excitant à lui soumettre pour qu'il reste dans le droit chemin. Elle répète :

— Fais attention à toi, sers-toi de ton crâne un peu.

Et le laisse changer de sujet.

## 3

— T'as pas vu Francis récemment ?

— Pas ces derniers jours, non…

— Ça fait un moment qu'il n'a pas donné de nouvelles. Tu me mets un demi ?

Il fait sombre même en plein jour dans ce bar. Le long de l'interminable comptoir s'échoue une horde d'habitués hétéroclite. Kaléidoscope d'histoires, lumières artificielles et brouhaha de conversations en chassé-croisé. Les gens glissent les uns vers les autres, s'associent pour un verre, s'aident à tuer le temps jusqu'à ce qu'ils soient assez défoncés pour supporter de rentrer chez eux.

Nadine est encore en plein brouillard de raide, ça la rend perspicace et sensible aux détails. La bière est fraîche, elle vide son demi en deux temps.

Quelques étudiants révisent à la table près de l'entrée. Cahiers ouverts sur la table, psalmodient des formules en essayant de les retenir.

À l'autre bout du comptoir, un garçon discute avec le serveur tout en surveillant discrètement l'entrée, qu'aucune fille ne rentre à son insu. Il les projette mentalement dans diverses positions, savoure l'émotion déclenchée sans s'interrompre dans sa discussion. Il a la pensée conditionnée au sexe comme les poumons à la respiration. Il vient là régulièrement et Nadine ne se lasse pas de le regarder de loin. Peut-on être lassant d'amoralité ?

Dans un renfoncement de la salle, un jeune garçon juché sur un tabouret joue au jeu électronique. Une fille à ses côtés regarde les formes de couleur descendre et s'emboîter. Il lui a à peine dit bonjour, il est concentré sur sa partie. Elle tente quand même de lui parler :

— Tu sais, je viens de voir l'assistante sociale. Elle m'a dit que tu devrais passer la voir.

— Fous-moi la paix, je t'ai déjà dit que je n'avais droit à rien.

Il lui a répondu brusquement mais sans aménité. Il voudrait juste qu'elle le laisse tranquille. Elle reprend après un court silence, tenace mais s'excusant par avance :

— Il y a du courrier pour toi à la maison, tu veux que je te le ramène ?

Il ne semble même pas l'avoir entendue. Elle insiste, le plus doucement qu'elle peut, parce qu'elle sait qu'elle l'agace à le déranger quand il joue, mais c'est plus fort qu'elle :

— Ça fait cinq jours que tu n'es pas rentré dormir. Si tu ne veux plus qu'on habite ensemble, tu n'as qu'à me le dire.

Elle a fait de son mieux pour qu'il n'y ait ni reproche ni tristesse dans sa voix, parce qu'elle sait que le reproche et la tristesse l'agacent. Il soupire bruyamment pour bien montrer qu'elle l'exaspère :

— J'ai fait la fête tard, ça veut pas dire que je veux déménager. Fous-moi un peu la paix, merde.

La réponse ne tranquillise aucunement la fille. Elle a l'air désolée mais ne proteste pas. Elle regarde l'écran, les formes de couleur descendent de plus en plus vite. Les mains du garçon s'activent sur les manettes avec une agilité bestiale.

Finalement, la machine annonce « Game over » ; le visage de la fille s'éclaire :

— Viens, j'ai de quoi te payer un coup, ça fait longtemps qu'on a pas discuté.

Elle a fait de son mieux pour qu'il y ait de l'enthousiasme dans sa voix et pas de supplication, parce qu'elle sait qu'il apprécie l'enthousiasme et que la supplication l'agace. Il demande :

— T'as dix boules là ?

— Ouais, je t'invite, je t'ai dit. On s'assoit où ?

— File-les-moi, je refais une partie.

Il tend la main, elle n'ose pas protester, elle sort une pièce de sa poche. Il la rentre dans la machine en disant :

— Tu vas pas rester derrière moi toute la partie, tu me déconcentres. On discutera ce soir, si tu veux.

— Tu vas rentrer tard ce soir ?

— Putain, mais j'en sais rien, laisse-moi tranquille.

Elle sait que ce soir, s'il rentre, il sera probablement trop défoncé pour discuter. Au mieux, il aura la force de la retourner pour lui en mettre un coup.

Elle s'assoit toute seule à une table, commande un café. Il n'y a aucune trace de colère dans ses yeux, mais une grande inquiétude. Nadine sait qu'elle restera jusqu'à la fermeture du bar et que, plusieurs fois dans la soirée, elle essaiera maladroitement d'attirer l'attention du garçon.

Vu le niveau de la brune qu'il attrape ces temps, elle a intérêt à avoir une bonne endurance à la douleur, parce que moins souvent il rentrera avec elle, mieux il se portera.

Mais elle attendra le temps qu'il faudra et endurera ce qu'il faudra. Patiemment et faisant de son mieux pour ne pas l'agacer, jusqu'à ce qu'il revienne.

Un type se lève de sa table et titube jusqu'au comptoir. C'est pourtant tôt pour être dans cet état. Il essaie d'obtenir un crédit du barman, se fait jeter.

Une brune fait son entrée, les yeux du garçon à l'autre bout du comptoir s'écarquillent. Celle-ci lui déclenche le grand jeu en matière d'émotion. Il sort de sa tranquille indifférence, s'agite sur son tabouret, répond au clin d'œil du serveur :

— C'est pas de notre faute, on est entourés de vicieuses.

Nadine observe la fille en question, elle cherche à la voir avec ses yeux à lui. Pourquoi celle-ci plutôt qu'une autre ? Peut-être qu'elle ressemble à la première petite fille qui l'a laissé glisser un doigt dans sa fente. Ou peut-être qu'elle a le même sourire que cette fille en papier dont il aura taché la photo à force de se branler en la matant.

Il est rejoint par un collègue à lui, à qui il demande innocemment :

— Tu la connais la petite brune là-bas ?

— Bibliquement. Une suceuse de première.

— Je ne demande qu'à te croire sur parole, mais je préfère vérifier par moi-même. Y a moyen que tu me présentes ?

Ils prennent leurs verres et vont s'asseoir à sa table.

À côté de la porte, une métisse ultra-haute température terrorise deux garçons du haut de ses hauts talons. Sa jupe s'arrête pile où lui commence le bas-ventre, découvrant des jambes interminables et les garçons évitent d'imaginer comment elles s'enroulent autour de la taille de celui qui la travaille. Elle les écoute en souriant, main sur les hanches, bouge un peu du bassin quand elle éclate de rire. L'appel au sexe se conjugue ici à l'impératif et comprend un voyage pour l'enfer. Elle est fatale, au sens premier du terme. Tout le monde dans le bar connaît des histoires de garçons rendus fous à cause d'elle et tous les garçons du bar ne demandent qu'à y passer.

Nadine l'a vue un soir s'écrouler au bout de la rue, entre deux voitures, après une dispute avec un amant à elle. Le garçon blême se penchait sur son corps atrocement crispé, stupéfait qu'on puisse souffrir autant et terrifié par ce déchaînement de rage. Elle était possédée, cherchait à se sortir le mal en se criblant le ventre de coups, s'enroulant sur elle-même en hurlant, brûlée vive de l'intérieur.

Nadine avait été gênée d'être l'involontaire témoin de cette scène, en même temps que violemment attirée par cette fille.

— Nadine, téléphone pour toi. Je crois que c'est Francis justement.

## 4

L'évier de la cuisine est encore bouché. L'eau y croupit d'autant mieux qu'il fait très chaud. Manu entasse donc la vaisselle sale dans l'évier de la salle de bains.

Pour une fois, Radouan n'a pas exagéré : c'est du tamien de première qualité.

Elle flanque le cendrier dans l'eau sans l'avoir vidé. Une pellicule noire recouvre instantanément tout ce qui trempe. Elle insulte copieusement le cendrier et claque la porte de la salle de bains pour ne plus voir ça.

Il faut qu'elle sorte acheter à boire. Elle cherche un blouson pas trop taché dans le tas de linge sale. Elle jure d'aller faire un Lavomatic avant la fin de la semaine. En remontant la fermeture d'une veste qui pue le tabac froid, elle se rend compte qu'il fait bien trop chaud pour mettre une veste.

Elle a l'impression d'avoir décidé de sortir pour acheter à boire il y a plusieurs heures. L'appartement s'est transformé en gigantesque casse-tête.

Du tamien de première, Radouan lui en a laissé une large part.

Elle ne sait plus où sont les clés de l'appartement. Retourne tout ce qu'elle peut retourner dans l'espoir de mettre la main dessus. Cherche même dans le frigo, sait-on jamais.

Elle les trouve enfin dans une poche de jean.

Elle se retrouve dans la rue, quand même. Le soleil lui cogne à la gueule comme un projecteur pleine face. Il fait chaud à s'asseoir sur le trottoir en attendant le soir. Elle plisse les yeux, se rend compte qu'elle a oublié ses lunettes, renonce à remonter les chercher.

En marchant, elle compte sa monnaie dans la paume de sa main. Il semble qu'elle a assez pour acheter deux bouteilles de bière. Elle regrette d'avoir oublié les consignes.

Elle est distraite de ces considérations en remarquant que son vernis n'a pas séché du tout comme prévu. Il fait de nombreuses petites rides sur l'ongle. C'est finalement plutôt joli.

Une fille traverse la rue pour lui dire bonjour. Elles n'ont pas grand-chose à se dire mais habitent le même quartier depuis des années. La fille a les yeux noyés dans un crachat interne, elle semble encore moins en phase avec la réalité que Manu. Défoncée modèle courant, incollable sur les heures d'ouverture des pharmacies du quartier et sur le tableau B. Constamment démangée de l'avant-bras, elle a du mal à finir ses phrases.

Quand elle est arrivée au quartier, c'était une jolie plante qui finissait des études que personne ne l'aurait crue capable de faire, pleine de projets et pouvant décemment prétendre les réaliser. C'était il y a déjà fort longtemps et la réalité l'a depuis rappelée à l'ordre et au ruisseau, mais elle considère toujours que le glauque n'est qu'une parenthèse dans sa vie et compte la refermer définitivement. Elle est la dernière personne à croire en elle-même, qu'elle peut encore s'en sortir. Manu discute un moment avec elle.

Puis, elle reprend sa route, jette un œil au bar du coin, des fois qu'il y ait quelqu'un qu'elle aurait envie de voir. L'endroit est tapissé d'une couche de crasse grasse. Cour des miracles sans éclat, ici le fétide n'a aucune connotation romanesque.

Un type sort du bar et la rattrape un peu plus loin :

— T'as pas vu Radouan ?

— Non. Je sais pas où il est.

C'est une habitude chez elle, comme chez tous les habitants du quartier. Rien vu, rien entendu, qu'on la laisse tranquille. Le type s'excite brusquement :

— Putain, si tu le vois, tu lui dis qu'il est wanted ce con, on le trouve, on le tue.

— J'habite pas avec lui.

— Ben si tu le vois, tu lui dis à ce fils de pute : « On le trouve, on le tue. » C'est assez clair comme ça ?

— Qu'est-ce qu'il a fait de si grave ? Il a pas voulu payer ta mère ?

— La putain de toi, tu me parles mieux ou c'est toi que je défonce. OK ? Tout le monde sait qu'il est tout le temps fourré chez toi, alors fais pas trop la belle ou c'est chez toi qu'on débarque. OK ?

— C'est clair comme ça.

Il lui parle à deux centimètres du visage, prêt à lui en coller une. Elle profite de ce qu'un autre lascar approche et veut lui parler seul à seul pour s'éclipser.

Radouan a dû faire une sacrée connerie pour enflammer les esprits à ce point, bien que par ici les esprits soient toujours à la limite de l'incendie.

Elle aurait quand même dû le jeter tout à l'heure, ne pas plaisanter avec lui. Elle aurait dû chercher à lui faire comprendre. Elle hausse les épaules, après tout elle n'est pas éducatrice.

Un J7 de location est garé devant l'épicerie. Une bande de jeunes le charge de matériel sono. Ils ont envahi le trottoir d'amplis, d'éléments de batterie, d'étuis guitare. Ils lui disent bien poliment bonjour, soucieux de rester abordables bien que musiciens. Profitent de ce qu'elle est là pour lui faire une démonstration de connivence, échangent des private jokes et rigolent en se tripotant au passage. Ils expliquent qu'ils descendent jouer à quelques kilomètres au sud, ça a l'air de leur faire bien plaisir.

L'un d'eux lui demande :

— Au fait, Dan s'est fait cambrioler son appart. Ils ont embarqué sa basse… Alors, si t'entends parler d'une Rickenbacker qui se refourgue, ça serait cool de nous prévenir.

— Une Rickenbacker ? Sans problème, je vous fais signe.

Qu'ils aillent se faire foutre ! Elle s'imagine bien aller trouver le type qui l'a tirée, lui expliquer que ce sont de gentils musiciens et qu'il faudrait la rendre. Mais qu'est-ce qu'ils font avec leur crâne tous ces gens ?

L'épicerie est pleine de pancartes orange fluo, qui annoncent diverses promotions. Écriture maladroite au marqueur, fautes d'orthographe à toutes les lignes. Le gérant a remarqué qu'ils faisaient ça dans les grandes surfaces et il a transformé sa boutique en empire de l'enseigne et de la réduction de prix. Il solde ses yaourts, brade ses pêches, jusqu'au lait qui se retrouve régulièrement en promotion. Il a lancé une véritable mode sur le quartier, tous les épiciers l'ont imité et rivalisent d'ingéniosité pour concasser les prix sur les gâteaux rassis. En tant qu'initiateur du mouvement, il est persuadé d'être un génial autodidacte du marketing et passe toutes ses journées à peiner sur de nouvelles enseignes.

Un apprenti sort de l'arrière-boutique en portant un énorme carton de paquets de biscuits. Assis à sa caisse, le gérant sort de sa transe créatrice pour l'engueuler en arabe.

Le gamin réfléchit un instant, balance son carton par terre et sort sans rien dire. Le gérant lui court après pour récupérer son tablier. Manu a le temps de remplir son jean de tablettes de chocolat, laisse retomber son tee-shirt et passe à la caisse pour deux bouteilles de bière.

Le gérant lui lance un regard noir et encaisse en maugréant.

Il change d'apprenti toutes les semaines. Il n'emploie que des gosses en formation, pour les payer moins cher. Mais, à cet âge, on supporte mal la connerie à dose aussi massive et ils ne restent jamais longtemps.

Une fois dehors, Manu s'enfonce autant de chocolat que possible en un coup dans la bouche. Le tamien lui décuple le potentiel de jouissance des papilles gustatives. Un orifice de comblé.

Un étudiant qu'elle connaît l'arrête et lui propose de lui payer un coup. Joli garçon bien propre sur lui, il l'a prise en affection on ne sait pour quelle raison. Elle le soupçonne de la trouver délicieusement décadente et de s'encanailler à bon compte à son contact. Tant qu'il rince, elle n'a rien à redire.

Il a l'esprit borné et très peu inventif, la mémoire encyclopédique des gens privés d'émotion et de talent, persuadé que donner des noms et des dates exactes peut tenir lieu d'âme. Le genre de type qui s'en tient au médiocre et s'en tire assez bien, bêtement né au bon endroit et trop peureux pour déconner.

Elle propose qu'ils aillent chez Tony parce qu'elle y connaît du monde. Comme ça, elle n'aura pas à discuter avec lui trop longtemps. Il est trop bien élevé pour partir sans payer son verre, même si elle l'ignore dès qu'ils ont passé la porte.

En chemin, ils croisent deux types, l'un d'eux interpelle Manu :

— T'as pas vu Radouan ?

— J'y crois pas, tout le monde le cherche aujourd'hui ! Non, je l'ai pas vu.

— Tu vas pas y croire à ce qu'on va lui faire quand on l'aura trouvé.

## 5

Nadine attend que la cabine se libère, assise sur le banc à côté. Elle n'a pas fait cent mètres à pied, mais son dos est trempé de sueur. Trop chaud. Lumière trop blanche. Un seul aspect positif à cette exagération estivale : la bière saoule plus vite qu'à l'accoutumée. Vivement le soir quand même.

*I'm screaming inside, but there's no one to hear me.*

Ce putain de casque a des faux contacts de plus en plus fréquents. Heureusement, elle a une rentrée d'argent prévue pour ce soir, elle pourra en acheter un neuf avant que celui-ci ne fonctionne plus du tout. Elle essaie d'imaginer quelque chose de plus frustrant que d'être en ville sans walkman. Coupé l'air des oreilles, consternant.

Une femme en pantalon large occupe la cabine. Coquette, mais ni élégante ni affolante, sans grand intérêt. Elle tourne le dos à Nadine, pour montrer qu'elle ne l'a pas vue.

Francis lui a demandé de le rappeler tout de suite. Il avait sa voix des grands jours, celle pour les grosses conneries. Elle a hâte de savoir ce que : « Y a embrouille, y a embrouille sévère », signifie en l'occurrence. Elle n'imagine rien de précis parce qu'il a toujours une longueur d'avance sur les pires prédictions. Elle a également hâte d'apprendre pourquoi il était exclu qu'il lui dise quoi que ce soit tant qu'elle était dans un bar.

Il est ce qui ressemble le plus à un ami pour elle, bien qu'on soit encore très loin de la définition d'usage. Elle l'aime à bout portant et s'en prend plein la gueule.

Contrairement aux lois d'usage, plus elle le connaît, plus il l'éblouit. Il est poète, au sens très mâle du terme. À l'étroit dans son époque, incapable de se résoudre à l'ennui et au tiède. Insupportable.

Dissident systématique, paranoïaque et coléreux, veule, voleur, querelleur. Il provoque les récriminations partout où il passe. Supportable pour personne, surtout pas pour lui-même.

Il aime la vie avec une exigence qui le coupe de la vie. Il affrontera les pires terreurs et endurera la mort de son vivant plutôt que de renoncer à sa quête. Il ne retient aucune leçon puisqu'elles sont contraires à ce en quoi il croit et, obstinément, refait les mêmes erreurs.

Nadine reste à ses côtés, obstinément. Elle se fait l'effet d'être une infirmière dévouée qui ne serait capable que d'appliquer des compresses glacées sur le front d'un malade ravagé par la peste. Elle ne lui est d'aucun secours, elle ne le soulage en rien. Elle le veille comme s'il était délirant de fièvre, sans être bien sûre qu'il ait conscience de sa présence.

La connasse en pantalon finit par libérer la cabine. Nadine compose le numéro qu'elle a griffonné dans sa paume. C'est un numéro sur Paris. Qu'est-ce qu'il fout à Paris ?

Il répond immédiatement, il était sans doute assis à côté de l'appareil :

— C'est moi, la cabine était occupée. Qu'est-ce qui s'est passé ?

— C'est assez long à expliquer. Au final, j'ai tué quelqu'un.

— Tu as tué quelqu'un, au sens propre du terme ?

— J'ai tué Bouvier. C'est assez compliqué. Il faut que je te raconte toute l'histoire. Il faudrait que je te voie.

— Ça va ? T'as pas l'air trop secoué pour un meurtrier.

— J'ai pas encore eu le temps de bien rentrer dans la peau du personnage. Honnêtement, j'ai pas arrêté de dormir depuis que c'est arrivé.

— C'est arrivé quand ?

— Hier.

— T'es où, là ?

— Hôtel de banlieue.

— T'étais raide ?

— Je voudrais pas te faire de la peine, mais je crois pas que le problème soit de savoir si j'étais positif au test. C'est un peu plus grave que ça.

— C'est la conversation la plus martienne qu'on ait eue. Tu veux que je vienne ?

— Je veux bien, oui... J'ai des trucs importants à te donner, et je voudrais que tu me rapportes des choses dont j'aurai besoin.

— Tu vas faire quoi ensuite ?

— Justement, j'aurais besoin de discuter avec toi. Il y a plusieurs possibilités. Mais d'abord il faut que je t'explique dans le détail, que tu aies tous les éléments en main pour bien comprendre.

— Je peux prendre le dernier TGV.

Elle sort de la cabine après qu'il lui a donné l'adresse de son hôtel ainsi que la liste des choses qu'il veut qu'elle lui rapporte. Elle remet son walkman. Elle ne pense à rien en particulier. Elle a souvent des réactions à retardement.

*It's going down in my dark side. It's an emotional wave.*

## 6

En entrant dans le bar, Manu pense : « Camel n'est pas là. » Son absence est choquante, mise en évidence ici. Bien plus qu'elle ne s'y attendait. Sensiblerie d'enfant, le manque lui tire au ventre et jusque dans la gorge. Rayé une fois pour toutes et soustrait du décor.

Elle est surprise d'être aussi vulnérable, encore capable de douleur. Au début, on croit mourir à chaque blessure. On met un point d'honneur à souffrir tout son soûl. Et puis on s'habitue à endurer n'importe quoi et à survivre à tout prix. On se croit endurcie, souillée de bout en bout. L'âme en acier trempé.

Elle observe la salle et l'émotion trouve en elle un endroit intact pour y pleuvoir de la boue.

Elle s'éjecte le chagrin dans un coin du crâne et s'assoit au bar. Pas grand monde qu'elle connaisse. Des types jouent au tarot sur un tapis vert élimé, échangent des injures plus ou moins cinglantes.

Une fille s'engueule avec quelqu'un au Publi-phone, fait de grands gestes de colère, tournée vers le mur. Elle porte des lunettes noires, d'autres fois elle met un foulard pour cacher son cou. Manu ne sait pas si elle habite dans le coin ou si elle y passe régulièrement pour acheter de la dope. Elle ne parle à personne. Elle ne rampe que sous les coups que son petit ami lui donne, le soir et en coulisse. Pour le reste du monde, elle est majestueuse.

Manu vide son verre d'un trait, espérant que son voisin de comptoir comprendra ce que ça signifie.

Elle voit Lakim passer sur le trottoir d'en face. Quand il l'aperçoit, il lui fait signe de sortir. Ça fait plusieurs mois qu'ils sont ensemble. Elle ne se souvient pas avoir manifesté le moindre désir d'être avec lui, mais il la récupère régulièrement et l'embarque chez lui, comme s'il l'avait adoptée d'office. Elle est trop souvent raide pour prendre une décision. Elle s'adapte aux circonstances, à lui, entre autres.

Elle l'aime bien. À ceci près qu'il ne la sup-porte pas telle qu'elle est. Et il a tort de croire qu'elle modifiera quoi que ce soit pour lui. Il a des idées sur la vie qu'il compte bien faire respecter. Elle a de bonnes raisons pour être ce qu'elle est. Leur histoire ressemble à une course droit contre un mur. Manu se dit que tant que ça baise plus dur que ça clashe, il n'y a pas de raison d'envisager le splitt.

Elle aime décidément bien quand il la fourre, comme s'il lui en voulait d'autant bouger son cul et de brailler si fort. Comme s'il lui en voulait, parce que c'est mal et que ça le rend fou et qu'il revient chaque fois la défoncer et la prendre à pleines mains, lui écarter son cul, lui gicler dans la gorge. C'est comme si elle réveillait la mauvaise partie de son âme, celle dont il a honte, et qu'elle la réveillait sacrément efficacement. Mais tout se paie et il a tendance à lui faire payer un peu cher pour ça.

— T'es encore à traîner dans ce bar de junkies ? T'as rien de mieux à foutre de ta vie ?

— Occupe-toi de ton cul.

Il lui colle une grande baffe. Elle fait un pas de côté sous le choc. Un type en voiture ralentit, le genre à intervenir si on frappe une femme. Il demande à Manu si ça va, elle crache de côté :

— Je suis encore debout et entière. Ça se voit, non ?

Lakim fait signe de dégager au mec, qui obtempère. Puis il se tourne vers elle, fou furieux :

— Putain, j'ai jamais levé la main sur une femme, t'es fière de toi ?

— Justement, y avait une femme au bar tout à l'heure que son mec tabasse souvent. C'est la journée. C'est pas que je trouve ça grave, mais je te déconseille de recommencer. D'ailleurs, je pense pas que tu auras l'occasion de recommencer ça.

— Tu me cherches trop, Manu, je suis désolé d'avoir fait ça, mais tu cherches trop, sérieux.

— Tu me voulais quelque chose de précis ?

— Je voulais te dire bonjour. T'es ma copine, je te vois, je veux te dire bonjour… Faut toujours que ça dégénère avec toi.

— À partir de maintenant, t'as qu'à considérer que j'suis plus ta copine et qu'on a plus à se dire bonjour, ça limitera les dégâts. Au fait, tu sais ce qu'il a fait Radouan ? Tout le monde le cherche aujourd'hui, t'en as entendu parler ?

— J'ai rien à voir avec ce gamin, moi. Et toi non plus, tu devrais pas le voir autant…

— Ce que je sais, c'est que toi je veux plus te voir du tout. Salut, connard, j'ai une biture à prendre, moi.

Elle le dévisage avant de s'éloigner. Aujourd'hui, il lui a pris pile assez la tête pour qu'elle fasse un effort pour s'en débarrasser. Elle lui donnerait volontiers la liste des copains à lui qu'elle s'est envoyés, alors qu'ils étaient ensemble. Avec des détails pour les fois où ça s'est passé alors qu'il n'était pas loin. Ses meilleurs copains. Ça lui ferait bizarre d'apprendre ça. L'occasion de distribuer quelques claques à bon escient. Elle hausse les épaules. Ça ferait beaucoup d'histoires pour ce que ça la ferait rigoler. Et puis elle ne lui en veut pas, elle veut juste ne plus le revoir.

Il fait un vague mouvement pour la retenir. Elle retourne dans le bar. Karla l'attend à côté de la porte. Une gamine niaise et souriante, qui boit beaucoup trop et oublie vite de rester digne. Elle a observé toute la scène par la fenêtre, elle piaille d'indignation :

— Tu t'en es pris une ?

— Ouais, je vois que t'as l'œil. Peut-être que je l'avais bien cherchée, j'pense pas que t'avais le son d'ici.

— Putain, mais t'aurais dû le démolir sur place. T'aurais pas dû te laisser faire. Moi, je supporterais pas qu'un mec lève la main sur moi. Moi, mon mec me touche, je me casse aussi sec. Putain, je supporterais jamais ça.

— Moi, tu sais, tant que c'est pas du sperme avarié qu'on m'envoie dans le fond, je supporte à peu près n'importe quoi. T'as de quoi me payer un coup ?

— J'ai de quoi te rincer pour la soirée, je viens de toucher le RMI, tu tombes bien.

## 7

Nadine plie le fil du casque de walkman dans tous les sens, jusqu'à avoir du son dans les deux oreilles. En marchant, elle fait attention à le maintenir dans la bonne position. Elle a changé de casque il y a moins de deux semaines. Comment font les gens pour garder le même pendant des mois ?

Tuer quelqu'un. Qu'est-ce qui va se passer ? Qu'est-ce qui s'est passé ? Elle n'est pas surprise. Peut-être que ça devait arriver. N'importe quoi pouvait arriver. Pourquoi Bouvier ? Drôle de choix de victime... Point positif : peu de gens penseront à Francis quand on découvrira le corps. Le corps... Nouveau mot. Saugrenu.

Elle essaie d'imaginer qui va le découvrir, dans combien de temps. Une femme entre dans un salon, en parlant de choses habituelles, d'embouteillages ou d'une dispute ou d'un projet de soirée. Une femme qui rentre chez elle et parle à son mari parce qu'elle sait qu'il est rentré. Elle parle du bus qui était plein à craquer, ou bien d'un coup de téléphone qui l'a agréablement surprise. Et au milieu de son salon se retrouve nez à nez avec une grosse masse ensanglantée. Parfaitement déplacée. Le cadavre de son mari. Avec son crâne tout défoncé. Comment va-t-elle réussir à se rentrer ça dans la tête, à comprendre ça, ce qu'elle est obligée de voir ? La vie de la dame vient de basculer et son petit esprit ne sait pas comment enregistrer l'information. La dame hurle au milieu du salon, beugle à gros sanglots. Ou bien bégaie, ou bien va se servir un verre. Peut-être se pince-t-elle le lobe de l'oreille, un petit geste à elle qu'elle fait sans y penser. Aucune réaction décente face à un corps avec les tripes sorties, du sang épais plein la moquette. D'ailleurs, peut-être a-t-elle d'abord pensé à comment elle va faire partir cette tache. Et tout de suite après, elle aura honte d'avoir pensé à ça à ce moment-là. Ou peut-être se sentira-t-elle soulagée, peut-être qu'elle pensera à son amant qu'elle va enfin pouvoir rejoindre.

Mais peut-être aussi que Bouvier n'est pas marié. Peut-être que c'est un enfant qui joue au ballon dans le quartier qui le découvrira par hasard, comme dans une série télé. Son ballon roulera jusqu'au corps, il arrivera gambadant et braillant. Son petit visage d'enfant qui joue, grands yeux pleins d'innocence et de curiosité dénuée d'appréhension. Habits d'enfant, comme ceux que l'on voit dans les rayons de super-marché, sweat-shirt plein de couleurs, avec un bateau sur le devant. Il arrivera en courant, avec cette démarche amusante qu'ont les enfants très jeunes. Un enfant content, remuant, barbouillé tout autour de la bouche car il a mangé du Miko juste avant. Ses joues sont rondes, c'est un enfant bien nourri, bien-aimé. Il ramassera son ballon jaune vif avec des taches de sang bien rouge et encore humide. Il s'en mettra un peu sur les mains. Les taches sombres sur le ballon, qui est venu buter contre le crâne défoncé du mort au milieu du salon.

*Sweat young things ain't sweat no more.*

Le corps sera certainement découvert par des pompiers alertés par les voisins, à cause de l'odeur. Il paraît que ça sent très fort un cadavre en décomposition.

Saloperie de casque, elle a beau tirer sur le fil, plus moyen de rétablir le contact. Elle est presque arrivée dans sa rue. Couloir d'échafaudages, ils refont les façades des immeubles. Pourvu que Séverine ne soit pas là. Avoir la paix un moment.

Soupir de soulagement quand elle ouvre la porte, pas un bruit dans l'appartement. Elle a rendez-vous, elle est en retard. Elle fait couler de l'eau chaude dans une casserole, puis la met à bouillir. Elle s'assoit face à la gazinière, se masse la nuque. Cartes postales et photos punaisées sur la porte du placard. Il y a des taches de café le long de la porte du Frigidaire. Elle en a renversé ce matin et elle a eu la flemme de nettoyer. Elle prend une éponge, la passe sous l'eau froide et frotte pour les faire disparaître.

Bouvier devait de l'argent à Francis, beaucoup d'argent. Ça faisait longtemps, très longtemps. Ils ont arrêté de se voir à peu près à l'époque où ça a commencé à aller franchement mal pour Francis. Chute libre sur plusieurs années. Il a alterné tous les schémas de la dégringolade, quelque temps pilier de bar endetté, puis il a fait son tour dans la poudre, s'est converti au speed dans la foulée, puis à la codéine en passant par des trucs inconnus. Par moments, il se cloîtrait chez quelqu'un, refusait de sortir pendant tout un mois. D'autres fois, il faisait une arnaque puis, avec l'argent volé, il s'enfermait une semaine à l'hôtel. Pendant des années, il avait décliné avec talent toutes les figures de la descente aux enfers.

Il pensait régulièrement à cet argent que Bouvier lui devait, ne parlait que de ça pendant des jours. Cette thune résoudrait tous ses problèmes. Mais jamais il ne téléphonait à Bouvier.

Il soliloquait en tournant en rond, chaque fois plus exaspéré. Il se promettait de monter à Paris le lendemain pour régler cette histoire. Il ne partait jamais. Confusément, il faisait un amalgame entre cette dette et sa situation. Bouvier devenait responsable de tout. Vu de près, ce n'était pas très surprenant que Francis finisse par lui éclater le crâne. Vu d'un peu plus loin, c'était un acte de pure démence : ils ne s'étaient pas vus depuis plusieurs années.

Nadine voyait Francis de près, de tellement près que les actes les plus insensés devenaient compréhensibles. Parce que c'est lui, elle le croira. De toute façon. Elle l'a même aidé à tisser sa toile, à force de parler son langage et de cautionner tout ce qu'il disait. Cette fois, il est allé définitivement trop loin. Le moment est venu de comparaître devant les hommes.

Elle pense : « Si les flics l'attrapent, ils l'internent aussi sec. » Pour les néophytes, tout son comportement relève de la pathologie. Il est même devenu dangereux. Nadine verse l'eau bouillante dans un bol ébréché. Elle dit à voix basse : « C'est moi que tu appelles quand tu as vraiment besoin d'aide, parce que je me suis fait passer pour ton amie, et je suis la première à penser que tu es fou à lier. » Elle secoue la tête, comme pour chasser l'idée. À quel point Francis est seul, et comme il aurait besoin de quelqu'un qui soit capable de l'accompagner, de le secourir. À quel point, elle en est incapable.

Puis elle le voit clairement, dans un couloir d'hôpital. Il déambule au milieu d'autres malades, enfermé. Elle serre les dents, fait une grimace comme pour déglutir. L'image ne part pas. C'est ça qui va se passer. C'est ça que ça signifie. Tuer quelqu'un.

Elle ne veut pas le quitter. Elle ne veut pas le voir perdre.

Combien de temps passé à s'imprégner de lui, combien de renoncements pour qu'il consente à la garder près de lui. Elle l'a choisi contre le monde. Une fois pour toutes, et elle sait que c'était le bon choix.

Elle est en retard, déjà. Elle envisage de rester là, de poser un lapin. Mais il lui faut cet argent. Et il faut aussi qu'elle sorte, ne pas rester là à tourner en rond. Finalement, il y a beaucoup de choses qui lui viennent à l'esprit, elle se sent moins calme que juste après avoir appris la nouvelle.

Elle se change, cherche deux bas identiques dans sa commode, les enfile. La chair en haut des cuisses sort en bourrelets ; quand elle grossit trop, ça frotte quand elle marche, jusqu'à devenir rouge et douloureux. Elle met du noir sur ses yeux, n'arrive pas à dessiner le même trait des deux côtés parce que sa main tremble. Elle fume trop, et puis abuse de café. À moins que ça ne soit une question de maladresse.

Elle sort, la vieille du dessous lui dit bien bonjour quand elle la croise. Depuis qu'elle l'a aidée à monter ses courses, la vieille du dessous l'a à la bonne. Elle porte toujours le même manteau noir. Souvent, elle garde sa petite-fille et lui achète toujours les mêmes bonbons.

En passant, Nadine se regarde dans la vitrine de la pharmacie. Sa jupe la serre trop, elle remonte quand elle marche. On lui voit tout son cul qui ondule et qui veut qu'on la baise.

Quand elle va travailler, elle a toujours la même tenue, toujours le même parfum, toujours le même rouge à lèvres. Comme si elle avait réfléchi à quel costume endosser et ne voulait plus en entendre parler.

Ceux qu'elle croise la regardent différemment quand elle a sa tenue de tapin. Elle dévisage les gens, tous les messieurs qu'elle croise peuvent l'avoir. Même les plus vieux et les plus sales peuvent venir sur elle. Pourvu qu'ils paient comptant, elle se couche sur le dos pour servir à n'importe qui.

Métro Charpennes. Elle marche vite. Claquent les talons de l'asphalteuse, le bruit de la salope pressée.

Des gamins l'appellent quand elle passe. Elle ne répond rien, ils la rattrapent et l'encadrent. L'un d'eux remarque : « Elle a de bonnes jambes, des jambes pour s'en prendre plein la moule. » Ils l'escortent sur quelques mètres : « T'es sûre que tu veux pas venir faire un tour avec nous ? » Elle doit se débarrasser d'eux avant l'impasse, des fois qu'ils décident de la suivre jusqu'à la porte du vieux. Il n'aimerait pas ça. Elle s'arrête net et les dévisage, elle pense que c'est une question de détermination : « Je vais travailler là. 1 000 francs pour une heure ; si vous proposez mieux, j'ai du temps pour vous. Sinon vous dégagez, tout de suite. » Elle ne repart pas tout de suite, elle attend comme si elle attendait leur réponse. Elle vend son cul, ils n'ont pas les moyens. Ils ne répondent rien, elle repart. Pourvu qu'ils n'insistent pas. Ils ont fait demi-tour. Elle remercie le ciel et s'engouffre dans l'allée étroite et sombre. Ça pue la cuisine et les poubelles.

## 8

Manu se cramponne à Karla pour ne pas tomber.

— Putain, quand tu bois trop, d'un seul coup tu te rends compte que tu es déjà allée trop loin. Et c'est trop tard, tu peux déjà plus parler. Là, il faut commencer à se méfier parce que tout peut arriver. T'es capable de tout, quoi…

— Putain, j'en ai marre de traîner chez Tony. Quand je fais le bilan, je m'rends compte que je suis tout le temps là-bas et je m'emmerde. J'ai même pas vraiment de pote là-bas, je rigole pas, je m'emmerde. À part toi que j'ai rencontrée chez Tony, sinon tous les autres je m'en fous.

— T'as bien raison parce qu'ils s'en foutent de toi aussi. Les gens ça gesticule, ça se frotte, mais c'est rien que du mouvement, ils sont vides. Tous défoncés par la trouille. C'est pas chez Tony qu'il y a un blême, c'est partout pareil et ça craint.

Manu lui expliquerait volontiers ça plus en détail, mais Karla l'interrompt :

— Tu sais, je voulais pas t'en parler tellement ça m'a dégoûtée, tu sais ce qu'ils racontent sur toi maintenant ?

Manu fait non de la tête et, en même temps, signe qu'elle s'en fout. Elles sont arrivées au bord de la Seine, juste au bord de l'eau. Manu braille :

— Putain, c'qu'il est chouette ce coin ! Ça donnerait envie de vivre à la campagne. Pis c'est chouette les fleuves, moi j'adore ça. Putain, ça donne envie d'être à la mer ! On s'en fout de chez Tony, on s'en fout de ce qu'ils disent. Il est chouette ce coin. Un pack de bière en bord de flotte, pourquoi on se prendrait la tête ? Faut rester sérieux, Karla, pas s'écarter du droit chemin. Faut profiter de ce qu'ils sont pas là pour plus s'occuper des autres.

Karla ne voit pas exactement les choses comme ça. Elle reprend :

— C'est un bruit qui court en ce moment. Je sais pas quel est le salaud qui l'a lancé. Mais faut se méfier de tout le monde là-bas. Comme quoi ils t'ont vue dans des films de cul. Ils donnent même des détails dégueulasses. Je voulais pas te le dire tellement ça m'a dégoûtée. T'es tout le temps à aider tout le monde, t'es sympa comme pas deux et eux, tout ce qu'ils trouvent à dire, c'est…

— Ben, si tu voulais pas me le dire, fallait pas me le dire, qu'est-ce que tu veux que je te dise ?

— J'préfère te le dire. C'est trop dégueulasse. Je préfère que tu sois au courant.

— Ben, j'suis au courant. Qu'est-ce que j'en ai à foutre ? Je leur chie tous dessus. Un par un, tu me les ramènes, moi je les aligne et je leur fais caca dessus. Faut pas t'en faire pour ça, Karla, t'es trop sensible.

En parlant, Manu se vautre par terre, les bras en croix, s'égosille tout en regardant le ciel. Elle croit sincèrement être en mesure d'engloutir le quartier entier d'une seule chiasse et ça la fait bien rigoler. Il fait encore soleil, c'est vraiment un chouette coin. Ça serait mieux si Karla n'était pas là en fait. Elle est bien cette fille, mais finalement elle a des toutes petites idées, rabougries. Elle a des yeux qui rapetissent, des yeux dans lesquels on peut pas faire rentrer grand-chose. Et tout ce qui dépasse la rend furieuse.

Manu aime bien ce qui dépasse, tout ce qui dérape la fait rigoler. Elle a les envies larges et déplacées. Et la baise, c'est bien tout ce qu'elle a trouvé qui mérite encore un détour et quelques efforts. Karla est comme les autres, craintive et agressive.

Une voiture s'arrête, pas loin d'où elles sont. Des portières claquent, Manu n'y prête pas attention. Elle braille :

— Sérieux Karla, faut s'élargir l'anus et l'esprit suivra. Faut te dilater l'esprit, faut voir grand, Karla, sérieux… Faut s'écarter les idées…

— Nous, les filles, c'est pas les idées qu'on vous ferait bien écarter.

Karla est debout. Manu a du mal à se redresser. Elle n'a pas envie qu'on l'emmerde. Pas envie d'avoir affaire à cette grosse voix abrutie. Ni à ces pompes pointues. Ni aux mocassins d'à côté, ni aux baskets derrière. Elles ne répondent pas, elles regardent l'eau. Les trois mecs s'approchent :

— Allez, faites pas la gueule, il a dit ça pour détendre l'atmosphère.

— Nous, on vient dans le coin pour se détendre un peu. On voit deux filles et on se dit qu'on pourrait peut-être se détendre ensemble… On veut pas vous mettre mal à l'aise, les filles, on voudrait juste faire connaissance…

Manu se lève. Elle évite de regarder les types. Pas besoin d'y regarder à deux fois pour saisir qu'ils ont vraiment de sales gueules. Petits, teigneux et avinés. Mauvais tiercé pour elles. Karla tire sur sa jupe, elle a l'air franchement gourde. Manu la prend par le bras, fait un signe de tête aux garçons en disant :

— Nous on partait justement, on a un truc à faire. Dommage, bonne continuation…

Celui qui porte des mocassins lui barre le passage :

— T'es sûre que t'as pas le temps pour une bonne partie de jambes en l'air ?

Et il plaque sa main sur ses seins. Elle voit Karla par terre, sa gueule écrasée au sol et le mec sur elle – celui qui porte des baskets – lui allonge une putain de beigne en la traitant de connasse.

Elle entend Karla hurler, l'appeler. Elle sent la main de l'autre mec entre ses cuisses lui malmener la chatte. Il dit en rigolant : « Celle-là a pas l'air trop farouche » et il la balance par terre. « Baisse ta culotte et écarte tes cuisses, écarte-les bien, comme ça j'te ferai pas mal avec mon bel engin. »

Elle fait comme on lui dit. Elle se tourne quand on le lui dit. Karla pleurniche et discute, supplie les mecs de ne pas la toucher. Un des types la tient par les cheveux. Il tire sa tête en arrière en la traitant de petite pute. Elle a le visage rouge, congestionné, plein de larmes. Un peu de morve lui coule dessous le nez, et du sang plein la bouche. Quand elle essaie de parler, elle bave du sang. Entre ses dents, ça fait des traits rouges. Un autre type l'attrape par l'épaule, elle se protège la face avec ses bras et tombe à genoux. Tas rabougri et pleurnichard. Terrifié, implorant. Manu dit : « Laissez-la, foutez-lui la paix. » Le mec allongé sur elle rigole et tape avec la paume de sa main sur son nez. Explosion derrière les yeux puis douleur sourde dans tout le crâne. Les autres ont relevé Karla. Ils la tiennent contre le capot de la voiture, ses bras tordus dans son dos. Ils tapent sa tête contre la carrosserie. Plusieurs fois. Ça fait vraiment du bruit, mais personne ne passe jamais par là. Le mec sur elle chuchote :

— Alors, ma puce, qu'est-ce que t'en dis de ma queue ? T'as pas l'air de détester ça, hein ?

Elle entend Karla prendre des claques entre deux protestations. Elle a peur qu'ils cognent trop, qu'ils la démontent vraiment. Elle a peur qu'elle en crève. Elle lui crie : « Mais putain, laisse-toi faire, cherche pas les coups. » Ça fait rire les garçons : « De toute façon, ces radasses-là, ça baise comme des lapins… Essaie de l'enfiler par le cul, j'parie que c'est aussi vaste que la voix légale. »

Qu'est-ce qu'ils feront après, qu'est-ce qu'ils feront à la fin ? Ils ont l'air violemment raides eux aussi. Et l'alcool ne les rend pas franchement aimables. Ils sont contents d'être ensemble, ils échangent de bonnes vannes, ils ont une activité commune, un ennemi commun. Jusqu'où comptent-ils aller pour se prouver qu'ils sont ensemble ? Est-ce qu'ils vont leur ouvrir le ventre ou leur enfoncer un canon de carabine bien profond et les exploser de l'intérieur ? Combien de temps ça va les amuser de les mettre en racontant des conneries ? Après, ils ont prévu quoi ? Manu réfléchit. S'ils se sont déjà mis d'accord, s'ils ont déjà décidé de les faire morfler jusqu'à ce qu'elles ne respirent plus, c'est foutu, ils ne voudront pas se dégonfler. Mais peut-être qu'ils veulent juste les violer. Il ne faut surtout pas leur faire peur, surtout qu'ils ne paniquent pas. Surtout ne pas les provoquer à aller plus loin que des coups dans la gueule et leurs brusques coups de reins. Elle voudrait que Karla se calme, surtout qu'ils ne la butent pas, alors que c'était pas prévu. Surtout rester vivante. Faire n'importe quoi pour rester vivante.

— J'en reviens pas, comment celle-là se laisse faire.

— Faut dire qu'avec la gueule de poufiasse qu'elle se trimballe, elle doit pas se faire empaler souvent, hein ?

— Méfie-toi, elle doit pas faire la différence entre sa chatte et un vide-ordures.

— On aurait dû ramener des capotes, on sait jamais… Avec des filles qui se laissent violer…

La vanne les fait rire un moment. C'est un autre type qui vient sur elle ; avant de se coucher, il lui fait mieux écarter les jambes en lui donnant des coups de pied à l'intérieur des cuisses. Elle regarde le ciel. Elle attend. Quand il rentre en elle, il dit : « Bouge-toi, bouge ton cul pour bien sentir comme je te baise bien. » Juste à côté, Karla est allongée par terre, son corps secoué par des hoquets, quelqu'un bouge sur elle. Ses jambes sont toutes blanches et molles, étalées de chaque côté. De la terre et de l'herbe font des taches sur sa peau. Le cul du mec monte et descend, blanc avec des boutons rouges et quelques poils noirs. Parfois, il donne des coups plus violents et, chaque fois, Karla crie et ça a l'air de le rendre content. Il a les cheveux gras et les dents pourries sur le devant.

Le troisième mec demande à Manu de se retourner. Il dit :

— Essuie ton cul, t'es pleine de terre.

Elle regarde par terre, sur l'herbe il y a un peu de sang à elle, de quand le mec lui a tapé sur le nez. Un autre debout les regarde. Celui qui s'enfonce par-derrière s'énerve :

— J'ai l'impression de baiser un cadavre.

Celui qui regarde ajoute :

— Elle a même pas pleuré celle-là, regarde-la. Putain, c'est même pas une femme, ça.

Elle regarde celui qui vient de dire ça, se retourne et jette un coup d'œil à l'autre par-dessus son épaule. Elle sourit :

— Mais qu'est-ce que tu crois que t'as entre les jambes, connard ?

Le mec se retire. Elle aurait dû fermer sa gueule. Qu'est-ce qu'elle a eu besoin de la ramener ? Le plus petit des deux, celui qui porte des mocassins, dit :

— J'ai même plus envie, elles me dégoûtent trop ces truies. C'est de l'ordure.

Ils disent au troisième de se dépêcher de finir, qu'ils veulent se casser et trouver des filles plus baisables, celles-là sont bonnes pour les clochards et pour les chiens.

Manu est allongée sur le ventre. C'est fini. Elle sent son dos et ses genoux qui font mal. Est-ce que c'est vraiment fini ? Elle est encore vivante. Ils vont partir. Elle a mal à la tête aussi. Avec sa langue, elle sent une dent qui bouge.

L'autre remet son pantalon. Ils retournent à la voiture. Manu se retourne précautionneusement sur le dos. Elle n'a pas trop mal quand elle bouge, en tout cas sûrement rien de cassé. Elle regarde le ciel. Elle entend Karla gémir à côté, vague envie de vomir. Mal aux seins aussi… Putain, pourquoi ils l'ont autant cognée alors qu'elle n'a pas résisté ? Elle entend Karla ravaler sa morve. Pas envie qu'elle soit là, pas envie de lui parler. Karla réussit à articuler :

— Comment t'as pu faire ça ? Comment t'as pu te laisser faire comme ça ?

Manu ne répond pas tout de suite. Elle sent qu'elle dégoûte Karla encore plus que les mecs. Comment elle a pu faire ça ? Quelle connerie…

Elle les entend démarrer. C'est fini. Elle répond :

— Après ça, moi je trouve ça chouette de respirer. On est encore vivantes, j'adore ça. C'est rien à côté de ce qu'ils peuvent faire, c'est jamais qu'un coup de queue…

Karla hausse le ton, annonce la crise de nerfs :

— Comment tu peux dire ça ?

— Je peux dire ça parce que j'en ai rien à foutre de leurs pauvres bites de branleurs et que j'en ai pris d'autres dans le ventre et que je les emmerde. C'est comme une voiture que tu gares dans une cité, tu laisses pas des trucs de valeur à l'intérieur parce que tu peux pas empêcher qu'elle soit forcée. Ma chatte, je peux pas empêcher les connards d'y rentrer et j'y ai rien laissé de précieux…

Karla la regarde, elle a la gueule bien amochée. Elle n'arrive pas à parler. Elle est comme suffoquée. Elle va exploser. Manu corrige au plus vite. Surtout la calmer, surtout ne pas avoir à supporter la crise de nerfs :

— Excuse-moi, j'veux pas en rajouter. C'est juste des trucs qui arrivent… On est jamais que des filles. Maintenant, c'est passé, tu vas voir, ça va aller.

Elle voit Karla debout penchée au-dessus d'elle, avec du sang qui sort de sa bouche et de son nez, l'œil droit gonflé d'où dégoulinent des larmes de Rimmel. Ses lèvres tremblent :

— Comment t'as pu faire ça ?

Elle se retourne et marche sur la voiture qui n'a toujours pas bougé. Elle brandit son poing, elle les insulte en pleurant. Elle hurle :

— Fils de putes, faut pas croire que j'suis comme ça, vous allez payer pour ça, vous allez payer pour ça !

La voiture la renverse de plein fouet. Jamais Manu ne comprendra comment elle a pu courir aussi vite jusqu'à la berge. Comment elle a pu éviter la voiture et courir dans la rue.

## 9

Il a à peine refermé la porte qu'il lui tripote déjà le derrière. Il se plaint :

— Tu sais que je préfère que tu téléphones d'en bas, des fois que mon fils ne soit pas sorti.

Billets pliés sur la table. Toile cirée beige avec quelques trous de clopes et des auréoles brunes, là où ont été posées des casseroles brûlantes sans dessous-de-plat.

Nadine balance l'argent dans son sac, enlève sa veste et dégrafe sa jupe.

Il éteint la lumière, laisse la télé allumée, enlève son pantalon, remonte son pull et s'allonge sur le matelas à même le sol. Il a les jambes repliées, il ne la quitte pas des yeux, souriant. Pas à elle, mais parce qu'il sait qu'elle va venir sur lui et faire ce qu'on lui dit. Il ressemble à un gros poulet triste, à cause des petites cuisses et du gros bidon. Il lui demande de garder ses talons et de se caresser les seins. Comme à chaque fois. C'est un de ses plus anciens clients.

Il va encore mettre sa langue dans sa bouche. Elle l'a laissé faire une fois et maintenant c'est tous les coups qu'il veut l'embrasser. Elle se souvient d'un roman de Bukowski où il expliquait que le truc le plus intime pour lui c'était d'embrasser sur la bouche. À l'époque, elle avait pensé que c'était une réflexion toc. Maintenant, elle comprend mieux. Entre ses cuisses, ça fait loin de sa tête, y a moyen de penser à autre chose. Mais la bouche, ça te remplit vraiment.

Elle fait la conne un moment au pied du lit, et il se branle en la matant. Puis il la fait s'allonger et vient sur elle.

Il écarte ses cheveux de devant son visage, dit qu'il veut voir ses yeux. Elle se demande combien il mettrait pour lui voir les entrailles, qu'est-ce que les garçons peuvent bien s'imaginer que les filles cachent pour toujours vouloir les voir de partout ?

Il la creuse, transpire abondamment et souffle bruyamment. L'haleine fétide. Enculé de vieux. Il se retient vraiment bien d'éjaculer pour que ça dure longtemps. À la fin, elle aura des poils de sa poitrine à lui collés sur elle par la sueur. À la télé, une fille essaie de répondre aux questions d'un présentateur zélé, élégant et drôle.

Nadine remue machinalement du bassin. Il dit des trucs sur son corps et comment son cul est chaud. Il l'empoigne par les hanches pour la guider, remonte ses jambes et lui écarte bien les fesses. Il fait tous les gestes auxquels il pense pour bien montrer qu'il se sert d'elle comme il veut. Il lui demande si elle jouit.

Ça lui arrive assez facilement et les clients adorent ça.

Juste après qu'il a éjaculé, elle se lève et se rhabille. C'est trop sale chez lui pour qu'elle y prenne une douche. Il dit :

— Ça fait cher à chaque fois, c'est cher pour moi, tu sais… Regarde comment je vis…

Trou à rats. Sordide. Elle a du mal à imaginer qu'il habite avec son fils là-dedans. Elle a du mal à les imaginer mangeant en tête-à-tête. Quelle tête il a, son fils ? Est-ce qu'il se doute ? Est-ce qu'il raconte à ses copains en rigolant : « Mon père se paie une pute chaque fois que je sors, toute sa thune y passe. » Elle demande :

— Tu ne veux plus que je vienne ?

— Si, si, je veux que tu continues à venir. Mais ce serait bien que tu me fasses un petit prix, comme on se voit souvent, tu comprends ? Et puis ces trucs que t'as dans le dos, tu les avais pas avant, ce serait logique que tu baisses un peu les tarifs, non ? En plus, je te garde pas bien longtemps, c'est difficile pour un homme comme moi de réunir une somme pareille.

— Trouve un tapin moins cher.

— Attends, ce que tu comprends pas…

Nadine sort sans lui laisser le temps de finir.
Ce qu'elle comprend, c'est qu'il est chiant. Dans
la cage d'escalier, il crie qu'il l'attendra jeudi prochain à la même heure, qu'il se débrouillera.

Elle ne retournera plus chez lui. Ce vieux con
va finir par la confondre avec une aide-soignante.

Elle entre dans le premier magasin de hi-fi
qu'elle croise. Elle y achète un casque. Le moins
cher dans ce qu'il y a de correct. Le vendeur est
gentil ; avant qu'elle sorte, il demande : « Vous
avez pleuré ? » Elle se retient de lui conseiller
de s'occuper de son cul et le regarde sans comprendre. Il explique : « En dessous de vos yeux,
le noir a coulé, comme si vous aviez pleuré. »
Machinalement, elle frotte le dessous de son œil,
remercie le vendeur et sort. Elle a oublié de se
remaquiller avant de sortir.

Elle branche son nouveau casque. Monte le
volume à fond. *You can't bring me down.* Ça
change tout. Mur de guitare droit dans son
sang ; maintenant, elle se rend bien compte que
si elle shootait dans un immeuble il s'effondre-
rait tout de suite. Pour le prix, le casque est
bien, tout n'est pas complètement pourri dans
cette journée.

Assise dans le métro, elle regarde ses mains. Un type à côté d'elle lui sourit. Elle fait comme si elle ne l'avait pas vu.

N'empêche, et même si ça fait cher, le vieux con est bien content qu'il y ait des filles comme elle pour se soulager.

Se coucher pour se faire remplir, servir à tout le monde. Est-ce qu'elle a ça dans le sang ?

C'est vrai que c'est beaucoup d'argent. Elle ne sait toujours pas si c'est pour pas grand-chose. Mais leur bite pue le moisi quand elle les prend dans sa bouche. Ça reste quand même moins pénible que d'aller travailler.

Quand même, pas si facile que ça, se coucher sans faire la grimace. Au début, on croit qu'il suffit d'avoir les trois trous pour se faire foutre et penser à autre chose, le temps que ça dure. Mais ça dure bien après, suffit pas de se doucher et de claquer la porte.

Désir forcené de saccager quelque chose, quelque chose de sacré. Elle aime bien ce travail.

Une voix de gamine résonne dans son crâne : « Maman, qu'est-ce que j'ai qui va pas ? » Sans que Nadine se souvienne exactement de quoi il s'agit.

Le type à côté d'elle se penche pour lui dire quelque chose. Elle ne tourne pas la tête.

Elle ne parle jamais à personne de ce qu'elle fait. Elle n'a pas honte de ça. Il y a de l'orgueil à se mettre aussi bas, un héroïsme dans la déchéance. Elle a du mépris pour les autres, ceux qui ne savent rien et la prennent de haut quand elle passe, parce qu'ils s'imaginent qu'ils ont plus de dignité.

Ça lui va bien comme métier. Surtout quand le moment vient de claquer la thune. Dévaliser un supermarché, y croiser des femmes qui choisissent leurs amants, celles qu'on baise gratuitement. Celles-là comptent leurs sous pour nourrir la famille.

Elle se rend compte qu'elle sourit dans le vide. Le monsieur à côté d'elle prend ça pour lui et pose une main sur son épaule pour qu'elle ôte son walkman et l'écoute. Elle se lève et va attendre à l'autre bout du quai.

*You'd better take a walk in my wood. You'd better take a walk in the real world.*

Tué quelqu'un.

Elle a quand même beaucoup de mal à s'habituer à cette idée.

Elle entend Séverine hurler avant même d'avoir refermé la porte.

— Que tu te serves de mon whisky sans me demander, déjà ça me plaît moyen. Mais tu pourrais quand même le ranger, non ?

— J'en ai laissé, c'est déjà un effort, non ?

Nadine va dans sa chambre se changer. L'autre la suit :

— À chaque fois, c'est pareil ; si je fais une réflexion, tu réponds une connerie et tu t'en vas. T'es incapable de dialoguer. Et pour cohabiter, il faut dialoguer. Ça demande du respect et des efforts tu vois, et ça, je sais pas si tu en es capable…

Nadine enfile un pull. L'autre n'ose jamais demander franchement pourquoi elle se met en jupe et en talons plusieurs fois dans la semaine.

Qu'est-ce qu'elle dira quand elle apprendra pour Francis ? Qu'est-ce qu'ils diront, tous ?

Séverine continue à lui expliquer comment ça se passe quand on habite ensemble. C'est une jolie fille. Élégante, presque raffinée. Manque de grâce quand elle bouge. Pas agréable à regarder quand elle est en mouvement. Comme si son corps la gênait. Cette fille manque d'émotion. Son cou est immense, d'une parfaite blancheur. Quelle connerie elle va inventer quand elle apprendra pour Francis ? Elle n'a pas le droit d'en parler, pas le droit de coller un de ses sales avis là-dessus.

Avant même qu'elle en ait l'idée, les mains de Nadine trouvent d'instinct leurs marques le long du cou de Séverine et l'enserrent avec rage, implacablement. La faire taire. À califourchon sur elle, Nadine la maintient au sol. Sans rien penser. Concentrée, appliquée. Quand elle baise, des fois, elle a l'impression d'être sortie d'elle-même, de s'oublier un moment. Elle déconnecte la partie qui observe et commente. Ça lui fait cet effet. Quand elle revient à elle, elle est en train d'étrangler Séverine.

C'est donc vrai, le truc de la langue qui dépasse un peu. Et le truc des yeux révulsés aussi.

Elle se relève et tire ses cheveux en arrière. Plusieurs fois, elle a rêvé qu'elle avait un corps à cacher. Elle le découpait en morceaux et quelqu'un arrivait ; du coup, elle balançait des morceaux un peu partout et il fallait qu'elle prenne le thé avec des invités. Des membres déchirés planqués sous la banquette, glissés sous les coussins. Dans ce rêve qu'elle fait souvent, il faut qu'elle fasse la conversation, comme si de rien n'était. Alors qu'un bras arraché dépasse de sous la commode.

Elle ne peut raisonnablement pas découper le corps de Séverine pour le cacher. Ça serait pourtant le plus simple, la traîner dans la baignoire, la débiter en petits bouts, ranger tout ça dans des sacs-poubelle et la mettre au Frigidaire. Puis s'en débarrasser progressivement, la répartir dans la ville…

Elle n'a pas le temps de faire ça, il faut qu'elle parte dès ce soir.

Combien de temps mettra-t-on à la découvrir, si elle laisse tout dans cet état ? Combien de temps avant de forcer la porte ? Qui s'inquiétera ? Séverine travaille en intérim, elle vient de finir une mission. Donc personne ne s'inquiétera pour elle au travail. Sa mère a l'habitude de rester plusieurs semaines sans nouvelles. Elle ne voit personne régulièrement. Ça prendra donc un certain temps avant qu'on ne force la porte. C'est peut-être pour ça, qu'elle tenait tellement à trouver un copain… Pour être sûre que quelqu'un s'inquiète au cas où elle disparaisse. Nadine peut bien la laisser pourrir sur place, personne ne souffrira assez de son absence pour s'occuper de son sort.

Dans ses affaires, Nadine cherche les trucs que Francis lui a demandé de lui rapporter. Ça lui ressemble bien de vouloir un ceinturon et un bouquin pour un départ définitif. Les choses ont l'importance qu'on leur donne. Ça le regarde. Et pour elle, pour partir pour toujours, qu'est-ce qu'elle emmène ? Elle n'a pas d'idée. Déjà gamine, quand elle faisait des fugues, elle ne savait jamais quoi prendre. Elle fouille dans ses cassettes, en embarque une dizaine, elle prend aussi la bouteille de whisky et le chéquier de Séverine. Elle enjambe le cadavre plusieurs fois.

Le téléphone sonne. Le téléphone lui a toujours semblé hostile et menaçant. Pas moyen de savoir qui appelle ni pourquoi. Toujours la même sonnerie, quelle que soit la nouvelle. L'impression que les gens de dehors cherchent à la surveiller, la traquent jusque chez elle et lui font bien comprendre qu'ils peuvent rentrer quand ils veulent. À présent, elle a fait ce qu'il fallait pour que sa peur du téléphone soit légitime. Toutes ces angoisses stupides, et la peur en sourdine. Cette impression d'être sursitaire. Toutes ces choses qui lui sont familières et qui n'avaient pas de sens. À présent, elle a fait ce qu'il fallait pour que sa propre réalité et la réalité des autres coïncident un peu mieux.

Son nouveau casque lui fait un peu mal aux oreilles.

*L'essence même du mal. Toutes nos grandes villes, toutes nos belles filles, autant de foyers d'infamie !*

Nadine se demande si elle doit prendre le bus ou le métro pour être sûre d'avoir le dernier TGV. Elle n'a pas eu le temps de se doucher.

## 10

Putain de sa race, sa poitrine va exploser. Trop couru. Manu se demande si elle retrouvera tout son souffle un jour. Ça lui revient distinctement, l'effet que ça lui a fait d'entendre ça. Le cri de Karla quand la tôle l'a cognée. Le bruit sourd du corps contre le capot. Elle n'a pas vu grand-chose, elle a couru tout de suite, presque avant que ça arrive. Au moment où elle partait, sa tête a enregistré le hurlement et le drôle de bruit.

Elle s'arrête dans un bar, fouille dans ses poches, aligne ce qui lui reste de monnaie. Compte en étalant ses pièces sur le comptoir.

— Je voudrais un whisky, et je voudrais téléphoner.

Elle appelle les flics, dit :

— Y a une fille sur les quais, à hauteur de la boîte de nuit, juste en dessous, là où il y a des arbres. Je l'ai vue se faire culbuter par une voiture. Je sais pas si elle bouge encore, mais ce serait bien d'aller voir.

Elle appelle les pompiers dans la foulée ; les flics, elle n'a pas confiance parce qu'elle parle trop mal. Mais les pompiers lui inspirent davantage confiance.

Elle vide son verre d'un trait, évite de s'attarder dans le bar, des fois que les flics rappellent. Maintenant, il s'agit de rentrer à la maison et de se mettre le compte jusqu'à tomber.

Elle rentre à pied, se méfie de toutes les voitures, des fois qu'ils la cherchent. En même temps, elle se demande à qui elle pourrait bien emprunter de la thune.

Chez Tony, ils les ont vues partir ensemble. Ça va lui faire des embrouilles quand ils vont identifier Karla. Elle prétendra qu'elle est rentrée chez elle tout de suite, qu'elle n'est pas allée au bord de l'eau. Les flics vont quand même l'emmerder.

Elle arrive chez elle et elle n'a toujours pas trouvé qui pourrait lui prêter assez d'argent pour acheter une bouteille. Pas question qu'elle rentre comme ça, elle va démolir les murs à coups de boule. Dommage qu'il n'y ait plus un seul commerçant du quartier pour lui faire crédit.

Finalement, elle reconnaît Belkacem sur un scooter flambant neuf. Elle l'appelle :

— S'il te plaît, t'as pas dix sacs à me prêter ? Je te les rends demain, tu passes chez moi.

Le gamin lui tend le billet sans faire de commentaire, un chouette gosse. Il demande :

— T'as déjà l'air bien arrangée. Tu t'es battue ?

— Non, je suis tombée toute seule. C'est pour ça, faut que je boive pour dormir. Tant que je marche, je tombe.

— T'es au courant pour Radouan ?

— Ouais, je sais, tout le monde le cherche. Il déconne, il marche jamais droit celui-là...

— Non, c'est pas ça. Là, ils l'ont trouvé. Moustaf et ses potes l'ont coincé tout à l'heure. Et je crois bien qu'il a compris cette fois...

— Ils l'ont dérouillé ?

— Sévère, oui. On sait pas exactement ce qu'il a. Il est à l'hôpital. Une chance pour lui qu'il ait encore la tête sur les épaules. C'est tout ce qui lui reste de pas brisé, je crois bien... Et encore... Ils lui ont arrangé la face au vitriol. C'est pour l'exemple, ça brassait trop ces temps sur le quartier, c'est histoire de faire passer le goût de déconner aux autres...

— T'as tout vu ?

— J'ai rien vu. J'ai vu que quand l'ambulance est venue le chercher, ils savaient pas trop comment faire pour le transporter. Ça donnait pas envie d'être à sa place.

— De l'acide dans la gueule ? Ça te change un parcours, ça... Tu sais ce qu'il avait fait, toi ?

— Il avait pas payé des trucs, il a pas vendu où il devait... Un peu n'importe quoi, il a fait, quoi. Et, en plus, il a fait le beau les premières fois qu'ils sont venus le voir, ambiance j'ai peur de personne...

— Merci pour tes dix sacs. C'est cool, c'est excessivement cool. Ciao, Belkass.

Elle rentre dans l'épicerie du coin. Paie sa bouteille de Four Roses. Rentre chez elle. S'assoit devant la télé. Boit par grandes rasades. Le téléphone sonne. Elle va pas se laisser emmerder par le téléphone. Elle arrache la prise.

C'est des moments comme ça. Des journées catastrophe. Elle a déjà descendu plus de la moitié de la bouteille. Elle n'est même pas assommée. Ça la met dans une rage noire. Une rage inquiète. Elle veut être raide défoncée le plus vite possible ; surtout ne pas avoir le temps de réfléchir à ce qui s'est passé aujourd'hui.

Elle finit la bouteille. Toujours pas endormie. Mais grandement soulagée. Ça lui a simplifié les idées, l'alcool porte conseil.

Elle enlève ses sapes toutes déchirées et maculées de terre. Elle enfile un jean. Elle a la peau marquée, traces jaunâtres le long des bras.

Demain, ça fera des mortels bleus. Elle met des lunettes noires et embarque le pied-de-biche que Radouan a laissé là il y a peu.

Elle traverse la rue, rentre quelques allées plus loin. Monte jusqu'au dernier étage et frappe à la porte de Lakim. Il n'est pas là, c'est l'heure à laquelle il fait son business. Son appartement est sous les toits. Il y a une fenêtre au-dessus de sa porte. L'échelle pour y accéder est rangée dans le placard, à côté du compteur EDF.

Manu monte sur les toits sans problème. Elle fait bien attention de ne pas se casser la gueule. Elle éclate la fenêtre avec son pied-de-biche, l'ouvre et pénètre chez Lakim.

Elle connaît bien l'endroit, elle y a passé suffisamment de temps. S'il y a un seul meuble dans cette pièce contre lequel elle ne s'est pas fait besogner, alors elle est encore vierge. Malcolm X au mur, encadré par deux boxeurs. Dans une caisse fermée à clé qu'il planque derrière le Frigidaire, il y a toute la thune qu'il a mise de côté depuis qu'il deale. C'est le seul dealer de sa connaissance capable de faire des économies. Il se méfie des banques parce qu'il craint qu'on lui demande d'où il sort tant d'argent. Manu a découvert cette planque par hasard, une fois qu'elle avait fait tomber une petite cuillère derrière le frigo et que, par pure intuition, elle avait cherché à la récupérer. Par contre elle ne sait pas où est la clé de la caisse, elle s'occupera de ça plus tard.

Dans le dernier tiroir du bureau, il y a un flingue et des cartouches. Lakim l'a plusieurs fois emmenée faire du tir. Elle aimait bien le bruit. Mais ça ne la passionnait pas outre mesure.

Elle ressort par la porte, la caisse en fer sous le bras et le gun pèse lourd dans son sac.

À mieux y réfléchir, elle est quand même bien défoncée et elle titube légèrement en allant chez Moustaf, deux rues plus bas. Elle sonne, il ouvre immédiatement. À vrai dire, elle aurait préféré qu'il soit pas là. Mais puisque c'est comme ça que ça s'enchaîne... Il dit :

— T'as ta sale gueule de quand t'as trop bu, toi. Qu'est-ce que tu me veux ?

Sans la laisser rentrer. Manu demande :

— T'es tout seul ?

Le visage de Moustaf s'adoucit. Il sourit :

— Paraît que ça va pas fort entre Lakim et toi ? Ça fait un bail que t'es pas venue me voir. Je te manque ?

Elle le pousse dans l'appartement avec l'épaule. Plus bas, elle dit :

— Non. Je suis venue te dire que ça va pas ce que vous avez fait à Radouan. Personne a le droit de faire ça à un môme.

Elle a posé la caisse par terre et elle fouille dans son sac. Elle l'entend déclarer :

— J'ai pas de conseil à recevoir de toi. Tu t'es vue ? T'es qu'une loque.

— Tu recevras plus conseil de grand monde, connard, et je suis sûrement la dernière loque que tu vois. Alors profites-en…

Elle tire une fois, à bras tendu. Ça lui secoue l'épaule, ça fait un bruit d'enfer. C'est moins spectacle qu'au cinéma. La tête qui explose, il tombe en arrière. N'importe comment, on dirait qu'il ne sait pas s'y prendre. C'est pas pareil qu'au cinéma. Elle s'approche de lui parce qu'il doit avoir de l'argent plein les fouilles. En plein dans la gueule qu'elle l'a eu. De la bouillie de visage. Elle ne peut pas se résoudre à le toucher pour le fouiller.

Elle ne pensait pas qu'elle tirerait. Elle était venue pour ça, mais elle croyait que quelque chose l'en empêcherait.

Avant de sortir, elle vide un grand sac de cuir noir et y met la caisse de Lakim. Elle fouille un peu la cuisine et trouve une bouteille de gin au frigo. Pas qu'elle aime spécialement le gin, mais c'est quand même un alcool fort.

Elle referme la porte derrière elle. Il n'y a personne dans l'allée. Les gens d'ici en entendent de toutes les couleurs, ils ne sortent pas pour un simple coup de feu. Manu dit : « Ouais, mais d'habitude c'est pas moi qui tire, tas de connards. » Elle ne sait pas exactement si elle l'a dit à voix haute ou dans sa tête. À y regarder de plus près, elle est franchement défaite.

Il commence seulement à faire nuit. Les jours sont vraiment longs en été. Dans un bar, elle cherche « Burgorg » dans l'annuaire. Note l'adresse. Elle ne sait pas où ça se trouve exactement. Le mieux serait de prendre un taxi, mais elle n'a pas un franc sur elle et c'est pas le moment d'ouvrir la caisse.

Dans la rue, elle croise un petit monsieur en costume. Elle ressort son flingue sans savoir s'il est chargé ou non et le lui colle sur le front.

— Dis-moi, petit homme, t'as bien un porte-feuille ? Tu me le donnes, parce que moi, contrairement à toi, c'est mon jour de chance.

Si ce mec l'emmerde, elle lui défonce son crâne légèrement dégarni à coups de crosse. Mais le monsieur est blême, il lui tend son portefeuille sans chercher à discuter.

— Alors maintenant, rentre ta tête et cours… Je veux plus te voir.

Elle s'éloigne à grands pas dès qu'il se retourne pour courir. Elle ouvre le portefeuille ; c'était pas un coup de vice : il est plein de thunes. C'est donc réellement son jour de chance. Elle répète pour elle-même : « Aussi simple que ça, le secret c'est de pas hésiter. » Pourquoi ces gens qui ont une carte bleue gardent-ils du liquide sur eux ? Elle a du mal à comprendre. Mais ça tombe bien… Elle se rend à la station de taxis, répète parfois pensivement : « Aussi simple que ça, ne pas hésiter. »

Burgorg, le responsable de la conditionnelle de Camel, habite un quartier résidentiel type middle class. Pas terrible, vraiment pas terrible. Pendant le voyage, Manu fait un effort pour se familiariser avec le goût du gin. Pas terrible non plus, carrément pas.

Le taxi la largue pile devant la maison. Il ne lui a pas décroché un mot de tout le trajet.

Avant de sonner, elle a la présence d'esprit de recharger le gun. Ça lui prend un moment. Elle est quand même bien dans le rouge.

Elle sonne. Le type qui vient ouvrir est grand, pas épais, la quarantaine. Elle l'imagine facilement en train de faire le beau, prendre la tête aux types en conditionnelle avec ses mots d'esprit. C'est pas qu'ils ont tous la même gueule, mais on les reconnaît quand même bien.

Elle demande :

— Monsieur Burgorg ?

— Oui.

— Bonjour, je suis la petite sœur de Camel, celui qui s'est pendu il y a pas longtemps. Vous voyez ?

Il fait oui de la tête. Il ne sait pas s'il doit la virer tout de suite.

— Voilà, monsieur : il y a des petits détails qui m'chiffonnent dans cette affaire.

Il s'est ressaisi. Il se tient droit et s'adresse à elle sur un ton péremptoire, typique des pros de l'autorité :

— Je ne vois pas ce que…

— Moi si. J'te vois par terre, ta sale gueule en morceaux, j'te vois bien les tripes à l'air…

Elle recule d'un pas et vise à la gorge. En fait, la balle le prend en haut du torse ; du coup, elle tire une seconde fois, plus haut. Manqué. Il vacille vers l'arrière, elle s'approche et lui colle le canon contre l'estomac. Tire une nouvelle fois et le regarde s'affaler à ses pieds.

D'un point de vue strictement visuel, c'est plus probant que la première fois. Plus de couleurs. Et puis elle est moins novice, elle en profite mieux.

Une femme arrive de la maison en s'essuyant les mains avec un torchon. Elle hurle dès qu'elle le voit à terre. S'en ramasse une dans le ventre elle aussi. « Dommage que je sache pas viser ; dans la glotte, ça aurait eu plus de gueule. » Manu enjambe le corps du flic, se tient à quelques pas de la femme et lui démolit le visage jusqu'à ce que le chargeur soit vide.

À chaque détonation, son corps est poussé vers l'arrière, elle pense à bien bloquer son épaule.

Elle ramasse son sac et se barre en courant. Elle prend le premier bus qu'elle croise. Et maintenant, qu'est-ce qu'elle pourrait bien faire ?

## 11

Le voyage en train est interminable, l'hôtel facile à trouver. À la réception, elle demande M. Pajet. Le Rital mal rasé lui donne le numéro de chambre et ajoute :

— Mais ce n'est pas une chambre pour deux que le monsieur a pris...

— Je ne dors pas là, je passe juste pour la pipe du soir.

Elle frappe à la porte, Francis met du temps à ouvrir. Il dormait.

Il tourne en rond dans la chambre et la fait paraître trop petite. Il se masse la nuque. Il a du mal à rassembler ses esprits.

— C'est fou c'que j'dors bien maintenant que j'suis vraiment dans la merde.

Elle s'assoit au bord du lit. Attend patiemment qu'il soit en état de discuter. Elle ouvre son walkman pour changer les piles. Il dit :

— C'est pas brillant dans l'ensemble. À vrai dire, je sais pas bien quoi faire. J'ai quelques idées, je voudrais qu'on en discute. Je veux ton avis sur la question.

— T'as pas l'air trop mal.

— Ça te travaille ça, on dirait… Non, je dors comme un bébé. J'arrête pas de dormir, j't'ai dit. Mais je suis bien le premier à trouver ça surprenant.

Il a un sourire bizarre, une grimace de sourire. Puis, il reprend :

— Le premier truc à faire, c'est descendre chercher du speed pour y voir plus clair et arrêter de dormir. Faudrait qu'on fasse rapide et efficace, j'ai vraiment beaucoup de trucs à te dire.

Elle acquiesce, il lui tend une photocopie d'ordonnance vierge :

— Tu peux t'occuper de ça, s'il te plaît ?

Il s'est mis en tête qu'elle a une écriture de médecin. Et puis comme ça, il la tient au courant de ce qu'il prend. Comme sans faire exprès. Elle aurait dû dire non dès le départ, refuser d'être mêlée à ça. Maintenant, c'est un peu tard pour s'en rendre compte.

— En haut à droite, tu mets…

Elle l'interrompt :

— Je crois avoir fait ça assez souvent, je devrais pouvoir la remplir toute seule.

En écrivant elle demande :

— Ça s'est passé quand exactement ?

— Avant-hier soir. Ça a été une semaine de dingue. Y a pas mal d'éléments nouveaux dans mon histoire, je te raconterai tout ça depuis le début, pour que tu comprennes bien.

— On peut pas non plus passer toute la semaine ici.

On ne peut pas l'arrêter une fois qu'il est lancé. Digressions incessantes. Il a l'esprit qui va trop vite et partout à la fois. Il secoue la tête :

— Non, non, je vais faire bref et concis, je vais assurer, c'est important. Faudrait pas que tu sois dans la merde à cause de moi. Le truc principal, c'est que tu donnes ça à Noëlle.

Il pose un passeport et une épaisse enveloppe brune sur la table.

— J'avais rendez-vous avec elle le samedi 13 juin au buffet de la gare de Nancy. Vers 17 heures. Si elle n'y est pas, même rendez-vous le lendemain. Elle passe les frontières à vélo, elle compte sur moi. C'est méga important.

C'est comme pour ses affaires : les choses ont l'importance qu'on leur donne. Il a un sens des valeurs et des impératifs particuliers mais très précis. Noëlle n'a sûrement pas besoin de ça, mais il a décidé que c'était important. Ça le regarde.

Nadine signe l'ordonnance. Il faudrait qu'elle raconte à Francis ce qui s'est passé pour elle. Ça peut changer des choses au dialogue. Elle décide d'expliquer ça plus tard.

Il dit :

— Je vais descendre à la pharma tout de suite.

Et avant de sortir :

— C'est gentil d'être venue, je suis content de te voir. Ça va m'aider à voir plus clair de pouvoir causer à quelqu'un.

— Le type à la réception était pas trop d'accord pour que je dorme là.

— Je m'en occupe. T'as vu : il y a une pharmacie de garde pile en face de l'hôtel.

— J'ai vu. Ça ne m'a pas surprise, t'es bien le genre de garçon à savoir choisir son hôtel.

Ça le fait sourire et il sort. Elle s'étend sur le lit.

Elle est contente de le voir aussi, elle se demande subitement si elle n'a pas étranglé Séverine juste pour pouvoir rester avec lui.

Elle se sent liée à lui maintenant, inexorablement.

*Je sais qu'à la fin je resterai seule avec vous. Et j'attends ce moment.*

Elle aurait dû penser à acheter à boire.

Il met du temps à revenir, alors que la pharmacie est vraiment juste en face. Heureusement qu'ils vont avoir du speed, elle est vraiment crevée.

Il met trop de temps. Elle ramasse ses affaires, prend l'enveloppe et le passeport – plus tard, elle sera surprise d'y avoir pensé.

Il est sûrement en train de se prendre la tête avec le réceptionniste. Il est capable de le convaincre que non seulement il n'y a pas de supplément à payer, mais encore que pour le même prix il devrait leur louer une suite.

Elle ne le trouve pas en bas, la réception est vide et la porte grande ouverte. Sur le pas de la porte, elle le voit sortir de la pharmacie en reculant et sans toucher le sol. Déflagration assourdissante. Le crâne déchiqueté dans l'air, une large gerbe sombre dans le noir. Une balle dans la tête.

Des fenêtres s'allument et quelqu'un se précipite sur le corps. Elle part vers la gare, sans réfléchir. Ça fait un drôle de grabuge dans son ventre à elle. Les jambes ne tiennent pas bien. La peur se matérialise et ricoche à l'intérieur. Elle fait caisse de résonance, l'écho en aller et retour s'amplifie en larsen. Elle pense : « Il n'y a plus de train à cette heure-ci. » C'est tout ce qui lui vient. Comme une de ces chansons stupides qu'on se retrouve à fredonner et rien à faire pour s'en débarrasser. « Il n'y a plus de train à cette heure-ci. » Elle reste debout devant la grille. « Plus de train, c'est trop tard. »

## 12

Manu a pris le train jusque chez sa mère, partie en vacances avec son nouvel amant. Encore un représentant lamentable et grande gueule. Beau gosse qui pue l'après-rasage bon marché, sûrement violent quand il a bu. Avec la vie qu'il a et la connasse qu'il tire, il ne doit pas avoir l'alcool très gai.

Dans le train, elle a gerbé dans l'allée puis s'est endormie. C'est le contrôleur qui l'a réveillée. Mal de crâne tonitruant, un pur calvaire.

Elle se souvient vaguement de ce qui s'est passé et de pour quoi elle est là. Mais trop malade pour penser à quoi que ce soit.

Dans l'appartement vide de sa mère, elle prend un bain, fouille dans l'armoire à pharmacie pour trouver de l'Aspirine. C'est plein de calmants, sa mère en prend tout le temps. Elle en abuse à l'occasion. Manu se souvient d'elle qui chante doucement devant la télé, parle toute seule et s'arrête net au milieu d'une pièce, incapable de savoir ce qu'elle était en train de faire. En pensant à elle comme ça, Manu a un éclair de tendresse triste. Mais l'agacement reprend le dessus presque aussitôt : cette femme serait moins conne, elle serait moins dépressive.

En s'essuyant, elle se voit dans la glace. Elle a le corps plein de marques, elle a plus ramassé qu'elle le croyait. Heureusement, la gueule ça va, à part la lèvre un peu gonflée. De la chance d'avoir le nez intact.

Elle réchauffe une tarte aux épinards dans le micro-ondes, boit de grands bols de café noyé dans du lait à 0 % de matière grasse.

Elle fracture le couvercle de la caisse qu'elle a prise chez Lakim. Ça lui prend un moment avant qu'il ne cède.

Les billets sont usés mais soigneusement repassés. L'ombre d'un remords l'effleure quand elle imagine Lakim en train de la remplir soir après soir. Puis elle se met à compter et les scrupules s'évanouissent.

Un peu plus de 30 000 francs, de quoi faire un bon week-end.

Manu fouille encore un peu dans la maison, trouve des Dynintels qu'elle met de côté.

Elle mange sa tarte, froide au milieu. Se rend compte qu'elle s'emmerde.

Sirène de flic. Elle a le dos trempé de sueur bien chaude en une seconde. Elle réfléchit à grande vitesse. Impossible qu'ils viennent déjà la chercher.

Pourtant, elle n'hallucine pas : il y a du grabuge dans la rue. Elle éteint la lumière et se précipite à la fenêtre.

Il s'est passé quelque chose à la pharmacie. Pas moyen de savoir quoi, mais ça brasse un tout petit peu plus loin. Des flics, des ambulanciers… De sa fenêtre, elle ne voit pas grand-chose.

Elle se rassoit. Le pharmacien est connu dans le quartier pour être à moitié taré. Mais jusqu'à maintenant, il ne s'était pas fait remarquer au point d'attirer les flics chez lui en pleine nuit.

Elle n'a plus faim. La maison lui fout le cafard. Elle parle à voix haute :

— Je ne suis pas une femme d'intérieur moi. Je suis une femme de rue et je vais aller faire un tour.

Elle vérifie que ça s'est un peu calmé dehors et elle sort.

## 13

Devant la gare, il y a une fille adossée au mur qui regarde fixement le sol. Du trottoir d'en face, Manu entend de la musique sortir de son walkman.

Elle vient peut-être de se faire plaquer par son mec et elle ne sait pas où dormir. Ou bien elle voulait visiter la banlieue la nuit. En tout cas, elle n'a pas peur pour ses oreilles.

Manu traverse et se plante en face d'elle. La fille fait bien trois têtes de plus qu'elle, et le double de son poids. Elle met un certain temps à réaliser que quelqu'un veut lui parler. Elle éteint son walkman sans avoir besoin de le regarder. Elle dit, sur un ton d'excuse :

— Y a plus de train à cette heure-ci.

— Non. T'es là pour la nuit.

— Ouais, il n'y a plus de train avant demain matin.

— Ben, au moins, t'as de la conversation. Tu vas où ?

— Plutôt vers Paris.

La fille n'a pas l'air de bien savoir où elle va. Manu a mal à la tête, elle demande :

— Tu sais conduire ?

L'autre répond oui.

— Ben, si tu peux conduire, moi j'ai une voiture et je veux aller à Paris.

— Ça tombe bien, ça tombe vraiment bien.

C'est dit sans conviction. Mais elle suit Manu jusque chez elle, sans rien dire de tout le trajet. Elle n'a pas l'air très éveillée. Pourvu qu'elle sache vraiment conduire...

Manu lui demande d'attendre à la cuisine, lui propose de se faire un café. Pendant ce temps, elle rassemble ses affaires.

Quand elle braille : « On peut y aller », l'autre ne répond pas. Elle a remis son walkman et Manu est obligée de la secouer par l'épaule pour qu'elle revienne à la réalité.

Elle sort la voiture du garage sans problème, la petite est rassurée quant à ses aptitudes à conduire.

Elles roulent sans parler. La grande a des cernes qu'on dirait tracés au marqueur. Une drôle de gueule. Pas désagréable en fait, mais très surprenante.

Pourvu qu'elle ait les nerfs solides. La petite regarde la route sur le côté, les arbres défilent à toute vitesse et s'étalent comme des immeubles allongés. Elle demande :

— On t'attend à Paris ?

— Non, pas spécialement.

— Ça tombe bien parce que tu n'y seras pas cette nuit.

Manu sort son flingue, juste pour que l'autre le voie mais sans la mettre en joue. Elle explique :

— Moi, je suis dans la merde et c'est dommage que ça tombe sur toi, mais j'ai besoin que tu m'emmènes en Bretagne. Là-bas, tu garderas la caisse pour rentrer, elle n'est pas déclarée volée. Et même, je peux te payer le plein pour revenir.

La grosse n'a pas sourcillé. À peine arrondi les yeux. Soit c'est une ancienne de la péripétie, soit elle ne comprend vraiment rien à ce qui se passe. Elle se renseigne :

— Tu vas où, en Bretagne ?

Poliment, posément. Comme si elles s'étaient rencontrées lors d'une fête et qu'elle la ramène chez elle, alors elle demande dans quel quartier elle rentre. Manu grommelle :

— J'en sais rien où je vais, je vais voir la mer.

Ça tombe bien que la grosse le prenne comme ça parce que Manu n'avait pas envie de faire la route avec une émotive. Elle a trop mal à la tête. Elle ajoute :

— On va voir ça en route. Le seul truc que je veux que tu comprennes, c'est que si tu m'emmerdes, tu seras pas la première à qui je brûle la cervelle aujourd'hui.

Elle a dit ça pour que les choses soient bien claires et pour tester la grosse. Celle-ci a souri. Manu regarde la route. Elle n'y croit pas une seule seconde.

# DEUXIÈME PARTIE

Ombres folles, courez au bout de vos désirs
Jamais vous ne pourrez assouvir votre rage.
Loin des peuples vivants, errantes, condamnées,
À travers les déserts courez comme des loups
Faites votre destin, âmes désespérées,
Et fuyez l'infini que vous portez en vous.

CHARLES B.

Une furie d'impuissance faisait tressauter
son doigt sur la gâchette.

JAMES E.

# 1

Le café lui a fait du bien. Nadine tient le volant d'une main, s'étire en conduisant. Elle met une cassette dans l'autoradio : *Lean on me or at least rely*.

La petite rousse la surveille, la bouche grande ouverte. Elle plisse le nez en signe de perplexité mais ne fait aucun commentaire. Elle grogne quand Nadine monte le son mais ne lui demande pas de baisser. Elle a une sale plaie à la lèvre droite, pas encore à l'état de croûte.

Elle se méfie à chaque bifurcation d'autoroute, soupçonne visiblement Nadine de vouloir l'emmener où elle ne veut pas aller.

Nadine n'a jamais vu quelqu'un se tenir aussi mal, ni parler aussi mal. Ça l'a plus amusée de la voir sortir un flingue que surprise ou terrorisée. Elle le tient n'importe comment, ses ongles rongés et couverts de vernis écaillé font des taches rouges sur la crosse. Elle a des petits doigts, boudinés et jaunis par la clope.

Nadine ne se sent pas menacée. Elle est contente d'être prise en charge. Elle n'a pas envie de désobéir, elle est mieux dans cette voiture que seule devant la gare.

Et puis la Bretagne, c'est une bonne idée.

Depuis qu'elles sont dans la voiture, Nadine a la sensation d'avoir déjà vu la petite. Mais elle a trop de mal à se concentrer pour chercher sérieusement d'où lui vient cette impression.

Ça lui revient quand elle sort un tube de rouge à lèvres de son sac et se barbouille la bouche, penchée sur le rétroviseur. Ce geste remet en fonction la mémoire de Nadine :

— J'étais sûre de t'avoir déjà vue. Dans un film, avec des chiens.

— Et un cheval, ouais. Oublie pas le cheval, ça serait dommage. Comment ça se fait que tu connais ça ?

— Je m'en souviens bien à cause d'une scène avec le paysan. Tu brailles qu'il bande mou et que c'est toujours la même histoire avec ces connards de hardeurs et ils n'ont pas coupé ce passage. C'est pour ça que ça m'a marquée.

— Je t'ai demandé où t'avais vu ça. Ton copain est porté sur la chose ?

— J'ai pas de copain, je suis portée sur la chose toute seule.

— Un point pour toi.

— T'es parfaite dans ce film, nonobstant ce morceau d'anthologie, je t'ai trouvée très pimpante dans l'ensemble.

— J'aurais dû être une star du porno hard, t'es bien la première personne que je rencontre qui en soit consciente. Encore un point pour toi.

— T'as tourné beaucoup ?

— Pas tant que ça. Celui que t'as vu, c'est un des mieux. Je voulais qu'ils l'appellent « Dog knows best » et ils m'ont envoyée chier. Ils sont tristes à mourir les tocards dans le porno. C'est pour ça que je tourne pas beaucoup, on n'est pas faits pour s'entendre.

Nadine lui tend la main, sans quitter la route des yeux : « Enchantée, vraiment. » Elle sourit franchement pour la première fois et Manu remarque que ça lui va bien. Elle serre la main tendue.

Elle ne sait pas trop quoi penser de cette fille. Elle se cure les dents en y réfléchissant, déglutit bruyamment et aboie :

— Putain, ce qui fait soif ! Faut qu'on s'arrête. Faut que je me restaure, faut boire du café.

— Il y a une station-essence pas loin. J'ai vu un panneau.

— Bonne nouvelle. Mais t'as pas intérêt à me faire d'embrouilles quand on sera là-bas.

— J'ai carrément pas intérêt. Tu crois pas si bien dire. Faudra penser à prendre de l'essence aussi.

Manu renonce à penser quoi que ce soit de cette fille. Apparemment, ça la promène de conduire jusqu'à la mer. La petite regarde son flingue, soupire et le range.

Elle sort la boîte de Dynintels, pour compter combien il en reste :

— Je veux bien te faire confiance, mais je voudrais quand même pas dormir. Y en a assez pour deux si ça te tente.

Nadine fixe la boîte d'amphétamines un long moment. Ça a l'air de beaucoup l'émouvoir. Manu se demande vraiment à qui elle a affaire. En même temps, la grosse lui plaît bien, elle n'est pas contrariante et elle fait preuve de bon goût. Nadine fait signe de la tête qu'elle en prendra aussi, ajoute qu'elle préfère attendre qu'elles achètent de l'eau. Manu les gobe tout de suite en expliquant :

— J'ai pas besoin de boire pour les avaler : je salive à fond. C'est pratique pour les pipes aussi.

Nadine l'entend de loin. Elle se remet l'image de Francis le crâne déchiré dans le noir.

La présence de la petite à côté lui dérange la projection interne, l'empêche de le prendre vraiment mal. Elle répète sans faire attention à ce qu'elle dit :

— Je suis vraiment enchantée de te rencontrer, vraiment.

Manu grimace :

— T'es tout le temps comme ça ou t'as eu un mortel choc aujourd'hui ? Faudrait te reprendre, grosse, j'ai pas d'affinités avec les débiles mentales.

## 2

Station-essence, lumière blanche plein la tête, les couleurs leur cognent dans la pupille. Quelques clients déambulent dans les rayons et autour de la machine à café.

Toilettes gris métallisé excessivement propres, des femmes se remaquillent devant les miroirs. Une autre change un bébé.

Nadine se regarde dans la machine où on se sèche les mains. Ça déforme le visage, lui donne des allures de monstre égaré et souriant.

Avant de descendre de voiture, Manu a fourré une poignée de billets dans sa poche. Elle déambule dans les rayons en emportant un peu n'importe quoi. Sandwichs, chocolat, whisky, sodas.

Quand elle voit Nadine qui sort des chiottes, elle lui demande si elle veut quelque chose, hurle, alors que l'endroit est d'un calme serein.

La grande fait signe qu'elle n'a besoin de rien. Manu insiste :

— Viens voir *Anal et Sperme*, la couverture est hyper bien. Style gore.

Nadine se rapproche, romans-photos sous Cellophane avec une étiquette énorme pour masquer la bite de couverture. C'est vrai que le lettrage est amusant, la petite lui arrache le journal des mains et se dirige vers la caisse.

Elle pose tout ce qu'elle a sur le comptoir. Puis sort des plaquettes de chocolat de sous son pull en déclarant négligemment :

— Réflexe stupide : j'ai de quoi payer.

Elles reviennent à la voiture. Nadine change la cassette : *So unreal now how I lie and try to deny the things that I feel*. Avant de remettre le contact, elle arrache la Cellophane autour des journaux, pendant que Manu classe les victuailles par tas sur le siège arrière.

Sur la première photo, une blonde avec des cheveux très longs est à cheval sur un tabouret de bar et elle tient ses fesses écartées pendant qu'un mec en costard la travaille par-derrière. Un collègue à eux les regarde faire, attend visiblement son tour.

Sur la deuxième photo, gros plan d'anus ridé distendu par une teub.

Elle feuillette rapidement le reste du bouquin. Double pénétration sur une table de billard. La fille porte des talons aiguilles noirs très hauts, une chaînette à la cheville. Le sexe entièrement épilé, le clit percé. Elle a vraiment beaucoup d'allure. En tout cas, elle impressionne considérablement Nadine.

Manu s'occupe de faire le plein, s'installe dans la voiture :

— Il est bien alors ?

— La fille est cool, elle réinvente la pipe, carrément.

— OK. Tu verras ça plus tard, on dort pas ici.

Elles sortent du parking, Manu se retourne régulièrement pour attraper quelque chose à manger derrière. Elle parle le plus souvent possible la bouche pleine :

— Putain, c'est chouette de pas avoir à compter ta thune, y a pas, on rigole tout de suite plus.

Elle ouvre tous les paquets, en fout partout dans la voiture, plein dans sa bouche aussi, salé sucré confondus. Une certaine constance dans le n'importe quoi. Elle en fait trop systématiquement : trop de bruit, trop d'excitation, trop de vulgarité. Elle semble entraînée et capable de tenir ce rythme un moment.

Elle partage les Dynintels. À partir du moment où ils font de l'effet, elle n'arrête plus de parler.

Nadine sourit en l'écoutant, la trouve globalement très sensée.

Elles roulent en direction de Brest. Manu a décidé que c'était la bonne destination. Elle a demandé : « Ça va pour toi, grosse ? » et Nadine a acquiescé avec enthousiasme.

Elles arrivent à la ville avant que les bars ne soient ouverts. Cherchent la plage, se perdent et la trouvent par hasard.

Manu hurle à pleins poumons :

— Putain, c'que c'est chouette !

Elle entreprend une drôle de danse, qui tient du pogo et du swing en braillant à tue-tête : « L'air iodé, voilà ce qu'il me fallait. » Moulinets avec les bras, secouement de tête. Démonstration de joie.

Assise un peu plus loin, Nadine la regarde faire.

Manu vient s'asseoir à côté d'elle :

— Moi, maintenant, je propose qu'on déjeune copieusement dès que les connards ouvrent leurs bars. Après, faut que je dorme, je vais prendre une chambre d'hôtel. Qu'est-ce que tu fais, toi ?

Nadine hausse les épaules, regarde la mer en cherchant quoi répondre. C'est le premier moment gênant depuis plusieurs heures.

— Je sais pas. Je déjeune avec toi.

Ça lui rappelle les fins de soirée où elle a envie de rentrer avec un garçon mais qu'elle n'ose pas le dire franchement.

Elle se sent bien avec la petite, elle n'est pas forcée de faire attention. Mais elle a honte de dire franchement qu'elle voudrait rester avec elle. Parce que la petite a l'air de savoir où elle va et de n'avoir besoin de personne pour bien rigoler.

Manu crache de côté :

— Ben, viens à l'hôtel avec moi. Je sais pas ce que t'en penses, mais moi je trouve que ça serait dommage qu'on s'arrête en si bon chemin.

Cette fois, tout se passerait comme Nadine en a envie. Elle n'aurait pas à se contenter de ce qui se passe en évitant de se plaindre.

Pour cette fois, tout se passerait très simplement : pas de raison qu'elles s'arrêtent en si bon chemin.

## 3

Elles tournent dans la ville jusqu'à ce que Manu voie un hôtel qui lui plaise.

— On a les moyens de dormir là où c'est classe, ça serait dommage de pas en profiter.

Finalement, elle se fait remarquer à la réception d'un établissement trois étoiles, explique qu'elle veut « des piaules qui s'touchent, avec des mortelles douches et la télé » en se grattant le ventre à travers son tee-shirt. Nadine se tient derrière, gênée et amusée. Elles prennent une chambre avec deux lits parce que c'est tout ce qui reste. Ça arrange Nadine qui n'avait pas envie de se retrouver seule.

Elle s'allonge pendant que Manu inspecte toute la chambre. Met son walkman et s'endort presque aussitôt.

*The words don't fit, I feel like I can't speak, things are looking bleak, please go easy on me, I don't know what's wrong with me, please be gentle with me, take it easy, take it easy.*

Elles dorment jusqu'au soir. Sommeil profond d'après speed. Manu réveille l'autre en hurlant de la baignoire :

— Putain, c'qu'il est chouette cet endroit, j'y crois pas une seconde, la baignoire c'est mieux qu'une piscine et le bain moussant mousse à fond. Ça pue un peu quoi. Tu vas pas dormir jusque demain quand même ?

Il faut quelques secondes à Nadine pour émerger et se souvenir de tout.

La petite descend chercher à boire, revient avec deux bouteilles de Jack dans des boîtes noires. Elle remplit le verre à dentifrice, le pose en équilibre sur le radiateur pour ouvrir la porte-fenêtre.

Nadine sort de sa douche au moment où le verre se renverse. Elle hausse les épaules et déclare doctement :

— Faut pas déconner avec le Jack, Manu, faut pas.

Elle s'allonge sur le ventre pendant que la petite éponge avec son tee-shirt. Puis elle grommelle :

— J'suis pas femme de ménage ici.

Elle abandonne la tache, se tourne vers Nadine et reste bouche bée un instant. Déclare :

— Tu sais, Nadine, on voit bien ton dos d'ici.

Nadine se retourne, tire ses cheveux en arrière, sourit avec niaiserie et se tire sur la terrasse.

L'autre la suit, la bouteille serrée contre sa petite poitrine. Elle porte un soutien-gorge à balconnets vert bouteille, quelque chose d'assez surprenant, avec des coutures dorées par endroits.

Elle braille :

— Je veux pas faire dans le harcèlement, mais je trouve que t'esquives bien vertement. Qu'est-ce que t'as fait à ton dos, grosse, t'avais pas été sage ?

Nadine passe sa main dans son dos sans répondre. Au toucher, les boursouflures sont énormes, reliefs sinueux et durs. Manu s'approche et demande si elle peut y regarder de plus près.

Elle tient le tee-shirt soulevé jusqu'aux épaules, considère la chose un moment. Nadine se laisse voir en silence.

Des traînées sombres lui éclaboussent tout le dos, comme une fresque rageusement raturée. Inquiétants hiéroglyphes déchaînés dans la chair.

Manu soupire, laisse retomber le tee-shirt et commente :

— J'ai du mal à comprendre ça. Mais c'est assez joli, ça fait art abstrait, quoi. On t'a fait ça avec quoi ?

— Cravache.

— Ça donne un genre, y a pas à dire.

Elle passe la bouteille à Nadine et insiste :

— Je vois bien que t'as pas l'intention d'en parler, mais je voudrais bien que tu en parles. Je comprends pas, moi, faut que tu m'élargisses l'esprit. C'est des trucs de peine-à-jouir ces bordels-là, tu m'avais pas dit que t'avais besoin qu'on te cogne.

— J'ai pas besoin qu'on me cogne, je suis payée pour ça.

— Je crois avoir entendu parler de filles qui se font payer pour faire du sexe sans se faire marave. Pourquoi t'es là-dedans, toi ?

— Un jour – par « hasard » – tu tombes sur un client qui te préfère attachée. Ensuite – juste « pour voir l'effet que ça fait » – tu diversifies les expériences. Avec le temps, tu rentres dans le move. Quand j'étais gamine, je m'imaginais volontiers solidement ligotée sur une table de bar, mon cul bien ouvert, et de nombreux messieurs dont je ne pouvais pas voir le visage me faisaient des choses déroutantes. Et très dégradantes. Et très agréables.

— On a toutes des rêves d'enfant, je respecte ça. Mais quand même, c'est un loisir pour friqués désœuvrés, de la sensation pas chère.

— Qu'est-ce que tu veux que je te dise ? C'est vrai que c'est décevant à la longue.

— Tu dis ça, mais je suis sûre que tu pisses toute ta mouille chaque fois qu'un connard te parle mal ; maintenant que tu m'en parles, ça m'étonne pas de ta part.

— C'est décevant à cause du moule, sortir d'un consensus et retomber dans un autre. Pas de dérèglement, pas de vrai dérapage.

— OK : toi tu rêvais d'arrachage de tête à la tronçonneuse et ces connards sont à peine capables de t'esquinter le dos. Ça doit être frustrant.

Nadine sourit. Elle cherche ses mots quand elle parle, hésite à chaque nouvelle phrase. Se rend compte qu'elle n'a pas l'habitude de faire un effort pour s'expliquer. Ça ne l'avait encore jamais gênée.

La petite insiste :

— Raconte-moi en détail. Par exemple, comment on t'a fait ça ?

— C'était avec un type petit avec des lunettes énormes, une super monture. Il avait aussi une énorme bite, pas monstrueuse en soi mais franchement disproportionnée par rapport à sa taille.

Nadine s'interrompt. Elle fait un effort pour se souvenir de comment elle a fait la putain pour lui. Debout au milieu du salon, elle lui tournait le dos. Il lui a dit de se pencher, se pencher mieux, qu'il la voie bien. Elle ne pouvait pas voir ce qu'il faisait derrière elle. Il l'a débarrassée de l'usage de ses mains en les lui attachant dans le dos ; s'est servi d'elle comme il l'entendait, de sa bouche aussi longtemps qu'il le souhaitait, a joué avec son cul et gloussé de contentement en l'entendant crier. Tous pouvoirs sur elle, jusque la faire hurler et supplier d'arrêter quand il s'est mis à la frapper. Son bras se levait et retombait, inexorablement. Elle ne pouvait rien faire pour se soustraire aux coups. À disposition.

Parfois, il cessait de cogner, lui parlait doucement, la caressait comme on rassure une chienne malade, l'apaisait. Puis recommençait.

La raison se révolte et le corps prisonnier, obligé d'endurer. Elle léchait ses mains quand il s'interrompait, en signe de reconnaissance. Puisqu'elle adorait ça, léchait son gland quand il se branlait à quelques centimètres de sa bouche, attendait pieusement qu'il l'éclabousse de foutre. Elle avait supplié et gémi pour qu'il la baise par le cul, imploré pour qu'il vienne.

Ces pratiques-là. Tellement grotesques et déplacées maintenant qu'elle voudrait en parler. Incongrues. Nadine sourit à la petite en signe d'impuissance, s'excuse :

— Pas moyen de te raconter ça.

— C'est bien ce que je dis : t'es bloquée du cul. C'est pour ça que t'aimes ça et c'est pour ça que tu peux pas me le raconter. Tu travaillais où ?

— Je racolais sur Minitel.

— Quelle tristesse ! C'est un truc de paumés.

— Manu ?

— Ouais ?

— La bouteille de Jack, enfonce-toi-la bien profond, je t'emmerde.

# 4

Terrasse écrasée de soleil, elles lisent le journal en silence. Des articles concernant « un inspecteur de police sauvagement abattu à son domicile, sa compagne étendue à côté », ainsi que quelques lignes sur « un règlement de comptes entre petits gangsters ». Manu s'étonne de ce qu'ils n'ont pas encore fait le rapprochement. Elle est de bonne humeur, visiblement satisfaite de faire couler un peu d'encre.

Apéritif prolongé, elles sont déjà raides quand elles s'installent au fond d'un restaurant peu fréquenté. Descendent trois bouteilles de rouge, il n'y a plus personne aux tables alentour. Manu touche le bras du serveur sous n'importe quel prétexte, prend un malin plaisir à le sentir mal à l'aise. À mesure que l'heure tourne, elle le retient de plus en plus vigoureusement, lui parle à quelques centimètres de la bouche. Mauvais sourire quand il essaie de se défiler.

Elle a toujours un verre à la main et s'interrompt régulièrement dans ses déclarations pour le porter à sa bouche :

— Je suis vraiment qu'une clocharde. Dans les films, les mecs ont toujours des répliques définitives au moment de shooter. Tu vois le genre ?

— Non. Je ne regarde jamais de film.

— Tu vas jamais au cinéma ? Tu regardes jamais la télé ?

— Non. Que des films porno. Le reste, ça me fatigue. J'ai vu *Gone with the wind* quand j'étais môme, je crois pas avoir vu d'autre film en entier.

— Comment veux-tu qu'on discute après ça…

Elle attrape le serveur au vol, demande une nouvelle bouteille, commente :

— Putain, trois dans la journée, ça c'est de l'entrée dans la vraie vie, on peut fêter ça dignement.

Nadine sourit en allumant une clope :

— C'est quand même surprenant qu'on se soit rencontrées ce jour-là.

— C'est pas surprenant, c'était le moment ou jamais.

— On peut voir ça comme ça. C'est toujours pareil pour moi, je me sens jamais comme je devrais, et je fais jamais attention aux choses qui comptent… Par exemple, ce soir c'est pas le moment de me sentir bien. Et je me sens carrément bien. J'ai pas l'émotion adéquate.

— Moi aussi, je me sens bien, je vois pas ce que ça a d'inadéquat. Il se pourrait qu'on s'amuse un peu... T'as idée de ce que tu vas faire, toi ? On pourrait profiter de ce qu'on a un peu de thunes pour faire du voyage.

— Y a nulle part où j'ai envie d'aller. Et puis il faut que je sois à Nancy le 13, j'ai promis à Francis.

— Ça m'était sorti de la tête. C'est vrai qu'une promesse faite à un garçon qui filtre le speed pour le boire pur ne se trahit pas. Je propose qu'on reste ensemble d'ici là, à moins que tu préfères...

— On reste ensemble, tout le plaisir est pour moi.

— Parfait. Faut appeler ce garçon qu'il nous mette un whisky, qu'on porte un toast...

Manu s'agite et l'appelle. Comme il ne vient pas assez vite, elle se lève pour commander au comptoir. Elle se cogne dans les tables en passant. Puis revient s'asseoir tant bien que mal et demande :

— Pourquoi elle passe les frontières à vélo, l'autre ?

— Je sais pas bien, elle s'était barrée pour une histoire d'acides, s'était fait envoyer une centaine de trips par la poste. Qui ne sont jamais arrivés à bon port. Par contre, les flics sont passés un matin où elle n'y était pas, coup de chance. Elle s'est trissée le jour même, je dois lui filer un passeport et une enveloppe. Genre lettre de recommandations et vœux de bonne continuation. Elle a l'air bien, cette fille, je l'avais déjà vue plusieurs fois, une bonne tête…

— Ça doit être chiant d'être en cavale, tu dois jamais dormir tranquille.

— On devrait avoir un avis sur la question d'ici peu.

— Faut être raide, faut beaucoup boire à partir de maintenant. Et attraper du loup. Plus tu baises dur, moins tu cogites et mieux tu dors. D'ailleurs, qu'est-ce que tu dirais de ramener du loup à la chambre, ce soir ? Des fois qu'on se fasse serrer plus tôt que prévu, on n'a pas intérêt à déconner avec ça. J'voudrais pas m'faire enfermer sans avoir eu mon indigestion de foutre… J'attraperais bien un surfer blond, lui coller mon gun sur la tempe et qu'il me lèche le clit pendant que je regarde les clips.

Manu trouve la rime satisfaisante et la décline sur tous les tons, Nadine l'interrompt :

— Moi, je préfère un garçon consentant.

— Toi, c'est différent : c'est plutôt sucer le canon qui t'intéresse, c'est pas la même option. Mais, en fait, je disais ça dans le vague, histoire de causer. J'aime pas les surfers. Au fait, sur Minitel, tu mettais quoi dans ton CV ?

— Jeune fille vénale mais très docile cherche monsieur sévère.

— OK... À partir de là, tu pouvais lever que des loups passionnants. On y va ?

Nadine demande l'addition. Le serveur lui est reconnaissant depuis le début du repas parce qu'il a l'impression qu'elle modère les ardeurs de la petite et qu'il peut compter sur elle pour le défendre en cas de dérapage trop virulent.

Elle remplit son chèque, pense à Séverine et réfléchit à voix haute :

— Je me demande si quelqu'un l'a découverte. Je me demande si quelqu'un en a quelque chose à foutre.

# 5

Assises au comptoir d'un bar éclairé en bleu glauque, elles dévisagent les garçons qui entrent, traquent le mâle éhontément.

Bientôt, Manu se frotte contre un jeune garçon qui porte un pantalon taille basse, on lui voit les épaules parce qu'il porte un tee-shirt sans manches. Les muscles sont ronds et donnent envie d'y mettre la main, de sentir avec la langue. Il sourit comme elle raconte n'importe quoi, il a l'air gentiment ailleurs et pas farouche, se laisse approcher et toucher et continue de sourire. Pas dérangeant.

Nadine écoute le garçon qui la tient par la taille lui raconter son voyage en Thaïlande. Il revient en France le temps de faire un peu d'argent pour repartir aussitôt. Il est content de lui, se trouve beau gosse, fait dans la désinvolture et distribue les clins d'œil. L'habitude de plaire aux filles. Elle regarde ses mains pendant qu'il parle, pense :

« Bientôt, ces doigts-là me toucheront au bas du ventre, m'écarteront la vulve pour me fouiller le plus profond qu'ils peuvent. » Les veines sont saillantes et énormes le long de son avant-bras. Il l'embrasse dans le cou, très tendresse de baroudeur. Elle a envie de lui, vraiment, elle regrette juste qu'il parle autant. Elle tire Manu par la manche, dit qu'elle veut rentrer. Ils sortent tous les quatre.

En marchant, Nadine repense aux photos des journaux achetés à la station-service. Comment la fille se tient à califourchon sur un tabouret de bar et se fait remplir par le cul et la bouche par deux types en costard. Elle se demande comment ça va se passer une fois qu'ils seront dans la chambre. Elle surveille Manu du coin de l'œil. La petite est égale à elle-même : braillarde et débraillée. Le garçon châtain à côté d'elle l'écoute scrupuleusement, comme s'il la soupçonnait de pouvoir dire des choses cruciales et justes.

Celui qui marche avec Nadine lui chuchote à l'oreille, très enjoué et complice : « Sacré numéro, ta copine. » L'avant-baise serait moins fastidieuse si ce garçon pouvait se taire.

Elle caresse son dos sous le tee-shirt, joue du bout de l'ongle le long de sa colonne vertébrale.

À l'hôtel, couples côte à côte sur les lits.

Toujours très initié, le garçon qui bouge sur Nadine demande :

— Vous faites souvent des plans à quatre ?

Elle répond :

— Oui, mais si tu fais un peu attention, tu remarqueras que ce soir ça n'a rien d'un plan à quatre.

Elle l'embrasse à pleine bouche, sort sa queue qu'il enfonce tout de suite du plus profond qu'il peut, sans même avoir besoin de s'aider de la main. Joli coup. Il la travaille lentement, la creuse en respirant très fort, elle empoigne ses propres cuisses pour s'ouvrir davantage, qu'il vienne un peu plus loin dedans, elle noue ses jambes autour de lui quand il accélère le mouvement. Palpitations au fond de son ventre, il a éjaculé. Il ne se retire pas tout de suite, elle bouge doucement de haut en bas, cherche la grosse vague. Coup de hanche et elle se sent basculer l'intérieur, le ventre dénoué et apaisée des chevilles aux épaules. Bien baisée. Elle s'écarte de lui, se renverse sur le dos.

Nadine tourne la tête vers le lit voisin. Manu chevauche son petit camarade, ondule et chantonne presque, elle se trémousse gentiment et avec grâce, en s'empalant consciencieusement. Elle ne se ressemble pas. Nadine pense en la regardant : « Elle chasse le mal », ça ressemble à une cérémonie d'exorcisme. Le garçon caresse ses seins et la laisse faire. Manu noue ses mains derrière sa nuque et tord sa bouche comme en sanglots, les mains du garçon l'attirent brusquement contre lui. La scène est en drôle de noir et blanc, des couleurs de nuit.

Le garçon se dégage de l'étreinte et la fait coucher sur le dos. Elle guide sa tête entre ses cuisses. Son regard rencontre celui de Nadine. Deux grands yeux calmes et attentifs.

Plus tard, le garçon avec qui elle a fait ça se lève, se sert à boire, s'étire et, d'un air complice et affranchi, propose :

— Ce qui serait sympa, les filles, ce serait de nous faire un petit tête-bêche.

Assis au bord du lit l'autre garçon allume une clope, comme s'il n'avait pas entendu, et feint d'ignorer le sourire de connivence que l'autre lui adresse. Manu répond :

— J'ai pas envie de te distraire. Pour tout te dire, j'ai bien envie que tu te casses. Tout de suite, un problème d'odeur. Tu pues la merde, connard, c'est insupportable.

En disant ça, elle se tourne vers Nadine, comme pour lui demander l'autorisation de le faire sortir. Lui aussi se tourne vers Nadine, attend qu'elle intervienne. Avec ce qu'il vient de lui mettre et comme il l'a sentie enthousiaste, il s'attend à ce qu'elle prenne sa défense.

Nadine hausse les épaules. Elle préférerait ne pas se réveiller avec lui demain matin, mais elle ne veut pas non plus se prendre la tête. Qu'ils se débrouillent ; en ce qui la concerne, elle en a pris pour son grade et elle voudrait surtout dormir.

Il hésite un moment. Manu commente :

— Eh ben au moins, connard, t'auras eu l'air désarçonné une fois dans la soirée, tu seras pas venu pour rien.

Se trouve drôle et ricane un moment. Lui, très grand seigneur, se rhabille prestement et s'arrache sans rien ajouter.

Nadine attrape la bouteille et déclare :

— Le coup de reins était convaincant, vraiment.

Manu hoche la tête et approuve :

— Il avait l'air de se débrouiller. Mais c'est pas une raison pour être pénible.

Le garçon restant ne fait aucune réflexion, comme si tout était parfaitement normal. Quand Manu revient s'agenouiller entre ses jambes et le prendre dans sa bouche, il joue avec ses cheveux, semble prendre du plaisir en pensant à autre chose. Puis il relève la tête et sourit à Nadine, qui s'endort en les regardant faire.

Plus tard dans la nuit, il la réveille en faisant des dessins du bout des doigts sur son dos. Ça fait frisson jusqu'aux chevilles, elle n'a pas le temps de rassembler ses esprits, sa langue est toute petite dans sa bouche. Délicieuse et agile. Son corps gracile comme celui d'un enfant, son sexe est chaud et rassurant quand il vient dans son ventre. Elle lui est infiniment reconnaissante d'être comme il est, il la serre plus fort dans ses bras, quand elle murmure : « Tu me fais du bien, vraiment. » Elle voudrait pleurer contre lui.

Le matin quand elle se réveille, il est déjà parti. Elle se sent malade, trop bu la veille. Elle va boire au robinet, autant d'eau qu'elle peut en ingurgiter. Manu fait un bruit incroyable en dormant en travers du lit, la bouche grande ouverte. Nadine prend son walkman et descend faire un tour. *Touch me, I'm sick.* Elle fait plusieurs fois le tour du pâté de maisons, boit du jus d'orange, assise sur un banc. Il fait beau, un soleil éclatant. *If I think, I'll think of you. If I dream, I will dream of you. I open my eyes but they cannot see.* Elle revoit Francis projeté en arrière, sa gorge se noue. Elle retourne à l'hôtel réveiller Manu.

## 6

— C'est assez désagréable : on ne sait même pas si on est recherchées.

— Faut pas perdre de vue que les flics sont basiquement stupides.

— Faut pas non plus oublier qu'ils sont travailleurs et qu'on a pas pris trop de précautions.

— De toute façon, il faut changer de voiture. Ma mère va rentrer et la déclarer volée. Ce serait con de se faire attraper pour vol de tire. Pis va falloir trouver de la thune. J'aurai bientôt vidé mon sac. Putain, j'y crois pas une seconde comme on l'aura claqué vite, son pauvre pognon. Faut dire que c'est chouette : on s'est pas privées de grand-chose. Ça change un peu, ça change tout.

Elles sont parties ce matin jusqu'à Quimper, ont loué une chambre immense avec des fenêtres jusqu'au plafond. Manu paie cash en extirpant les billets par poignées de son sac. Nadine a demandé du papier à la réception, s'est assise en tailleur sur son lit pour réfléchir. Ce que des gens dans leur situation doivent faire et ne pas faire. Finalement, elle dessine des cercles et des triangles de toutes tailles, repasse plusieurs fois chaque trait.

Assise sur la fenêtre, les pieds dans le vide, Manu a sa bouteille de Jack Da posée à côté d'elle. Elle mange des Bounty en surveillant la rue. Petite culotte de satin rouge avec de la dentelle noire, très western. Régulièrement, elle interpelle les passants :

— Oh, connard, reste tranquille, j't'ai à l'œil moi. Oui, toi, j'te conseille de pas trop faire le malin.

Elle se fait rire toute seule. Nadine se lève pour se remplir un verre. Dans la chambre à côté, un mec s'engueule avec sa copine. Nadine demande :

— Comment on va faire pour l'argent ?

— Des casses pourris, plein. Faire couler le sang, à flots. Du grand spectacle, on va foutre une émeute dans toutes les petites communes. On va braquer des épiceries, des petites vieilles…

— Tu as une idée de par quoi on commence ?

— Bien sûr que non. Pourquoi veux-tu que je sache mieux que toi ce qu'on doit faire pour les francs ? On va se promener, on va bien voir. Tu te prends trop la tête, c'est pas la peine de prévoir des trucs ; de toute façon, ça se passe jamais comme on prévoit. Y a pas de contrôle.

Faut y aller à l'instinct, compter sur la chance. Moi, c'est comme ça que je vois ça, en tout cas.

Nadine hausse les épaules :

— Moi, il faut que je rachète des piles pour mon walkman.

— Et moi, des rasoirs pour mes jambes. Tu vois, tout de suite on a des projets d'avenir. Tu me décolores les veuch ?

Manu est assise sur une chaise, face au mur. Elle mange un Mars, mâche la bouche grande ouverte, déglutit bruyamment. Debout derrière elle, Nadine étale la crème décolorante. La petite a les cheveux vraiment fins, on voit son crâne par endroits. Elle lui caresse la tête en répartissant la mousse blanche, elle est contente de la toucher. Elle fait attention à être douce, la masse précautionneusement. Elle voudrait bien lui faire du bien. Manu braille :

— Y a un truc spécial que t'as envie de faire, toi ? Un truc que tu voudrais absolument voir avant de crever ?

Nadine réfléchit un long moment, répond :

— Du sexe avec un trav, ça me dirait bien. Mais on peut pas dire que j'y tienne énormément non plus.

— Sur la chaise électrique, ils apprécieront sûrement l'extrême délicatesse de tes dernières volontés. Moi, j'me taperais bien un garçon genre celui d'hier. Souriant, la bite bien propre, compréhensif et calme.

Elle ouvre une boîte de Smarties :

— Putain de décolo, comment ça pue, j'y crois pas une seule seconde ! Quelle daube ! En plus, en blonde, je vais faire carrément caissière.

Plus tard, Manu se rase les jambes avec un Bic jaune qu'elle a retrouvé dans ses affaires. Nadine, couchée sur le lit, crame les draps avec le bout de sa clope. Elle dit :

— C'est quand même marrant : un petit pharmacien bute un keum sous prétexte qu'il doit être toxico. Et comme ce keum est soupçonné d'être un assassin, ça n'émeut plus personne. Ils manquent de logique.

— C'est carrément mal organisé, tu veux dire. Il suffit de faire un petit pas de côté, style il suffit de tuer quelqu'un pour qu'ils fassent bloc contre toi. Honnêtement, j'crois qu'il faut pas s'occuper de ça, tu devrais ouvrir une bouteille. Je vois bien que t'as pas le compte et, du coup, rien ne va plus.

Nadine écrase sa clope sur la moquette framboise, une drôle de couleur pour par terre, comme d'habiter dans un dessin animé. Elle se lève et se regarde dans le miroir. Ça lui fait la face saugrenue, les cheveux auburn. Vieille hippie toute bouffie. Elle perce ses points noirs sur les ailes du nez, ils giclent par plusieurs, comme des petits ressorts blancs. Dans la glace, elle observe Manu pendant qu'elle se rase le haut du sexe. Pour ne laisser qu'une bande au-dessus des lèvres. La barre du haut est légèrement tordue. Elle dit :

— C'est ridicule comme ça.

— T'y comprends rien. C'est cool comme ça, et pis ça fait femme actuelle.

Nadine fixe la baignoire un long moment. Elle dit :

— De toute façon, il cherchait la balle.

— Saloperie de rasoir, je me suis coupée de partout, j'y crois pas une seule seconde. Quelle merde...

— C'est con, en fait, c'est vraiment con. En plus, il t'aurait sûrement bien plu si tu l'avais rencontré.

— Apparemment, j'aurai pas ce plaisir. On va pas passer la journée là, y a plus rien à boire. Faut qu'on sorte voir le monde.

— On fait quoi, alors ?

— On traque la bonne étoile, on va laisser la niquetamère side of our soul s'exprimer comme elle l'entend... J'en sais rien de ce qu'on va faire. Mais en ce qui te concerne, tu vas commencer par me laisser tranquille et cesser de me demander ce qu'on fait toutes les dix minutes. T'es pas en colo, essaie de te rentrer ça dans le crâne.

## 7

Elles fument une clope sous un porche. Sur le trottoir d'en face, il y a un distributeur automatique. Plusieurs personnes font la queue pour retirer de l'argent. Manu crache de côté :

— Je vois pas qui on attend ; le prochain, c'est le bon.

Le prochain, c'est une dame d'une quarantaine d'années, foutrement bien conservée. Tailleur bleu marine bien coupé, la jupe juste au-dessus du genou. Impeccable. Les cheveux savamment relevés en chignon découvrent la nuque rigide et fine. La cheville tremble à peine, juste ce qu'il faut, tendue par le talon.

Manu se tient derrière elle, une carte à la main, comme si elle attendait son tour. Les doigts de la femme sont un peu courts et rougeauds. Bien que parfaitement manucurée, sa main trahit la grosse paysanne.

Nadine ne pouvait pas surveiller parce qu'elle est trop myope pour repérer son code, elle les attend un peu plus loin.

Elles emboîtent le pas à la femme, son cul un peu lourd ondule joliment sous sa jupe. Après s'être vaguement assurée que personne ne les regarde, Nadine empoigne la femme par les cheveux, tord sa tête vers l'arrière puis la force à s'engouffrer dans l'allée. La dame résiste à peine, elle n'a pas eu le temps de comprendre ce qui lui arrive. La peau de son visage ressemble à un tissu très délicat. La femme rassemble ses esprits, proteste et se débat. Nadine sent son corps résister et cogner contre sa hanche, son parfum entêtant. Elle n'a pas de mal à la maîtriser parce que les mouvements de résistance de la femme sont désordonnés et manquent de force. Elle lui en veut brusquement d'être incapable de se défendre et de faire autant de bruit, elle sent grimper en elle du sale plaisir à faire mal. Elle saisit le visage à deux mains et le fracasse contre le mur, du plus fort qu'elle le peut et à plusieurs reprises. Jusqu'à ce que Manu la pousse de l'épaule, colle le canon juste dessous la mâchoire et tire sans hésiter. Nadine ramasse le sac en cuir marron dans lequel elle fouille pour trouver la carte et le portefeuille. Elles sortent.

Une fois dans la rue, Nadine sent la peur lui fuser dans la gorge et les bras. Jusqu'à ce moment, elle n'a pas réfléchi, les gestes sont venus, automatiques. De drôles de gestes, d'une effarante efficacité. Automatiques.

Elle a enregistré tous les détails. Ils lui reviennent à mesure qu'elles marchent. Les yeux de la femme se refusent à croire ce qui arrive, ces yeux ouverts en grand disent : « Ce n'est pas possible. » Ils se débattent et scrutent pour comprendre. Les cheveux de la dame sont soyeux et parfumés, le chignon se dénoue quand elle la bouscule pour la faire avancer. Le canon noir et brillant s'approche de la ligne claire du menton, la gorge offerte, les mains de la femme qui tâtonnent, se protègent gauchement, cherchent à se libérer. L'incroyable détonation. Changement de tableau. Les yeux intacts surplombent un carnage de visage, le sang coule abondamment, épongé par le tissu du tailleur bien coupé. Les cheveux défaits et tachés, les jambes pliées n'importe comment.

Cette formidable détonation, la ligne du menton est partie en bouillie. La femme entière est partie en purée.

Manu descend la fermeture de sa veste noire, ôte sa casquette et balance le tout dans la première benne à ordures qu'elles croisent. Nadine l'imite, son blouson est taché à la manche, comme si on lui avait gerbé de l'hémoglobine dessus. Elles se remettent à marcher, sans échanger un mot. Au bout d'un moment, Manu rompt le silence :

— Ouais, ben c'est comme quand le film était bon, ça laisse un peu sur le carreau juste après…

— Ça va excessivement vite, en fait…

— Exactement comme de monter sur scène. Ceci dit, tu devrais faire gaffe, t'étais beaucoup trop près d'elle quand j'ai tiré, j'aurais pu t'arracher un bras.

— On améliorera tout ça avec l'expérience.

Conclut sereinement Nadine. Manu demande en souriant pensivement, elle est beaucoup plus calme qu'à son habitude :

— Ça t'a plu ?

Haussement d'épaules, Nadine hésite à peine avant de répondre :

— Juste après, je me suis sentie violemment mal. Le couloir pour ressortir faisait des kilomètres et j'aurais voulu m'asseoir et pleurer, ambiance fin du monde. Et maintenant, je me sens vraiment bien et j'ai qu'une envie…

— C'est de remettre ça.

Au crache-thunes, elles retirent du liquide jusqu'à ce que la machine fasse stop. Nadine fait deux paquets approximativement égaux, Manu broie le sien dans sa main et le fourre dans sa poche arrière.

Nadine veut un walkman classe. Elle dit qu'avec la carte et le code elles peuvent se payer plein de trucs. Elle veut aussi acheter le même tailleur que la femme.

Elles entrent dans un magasin avec une vitrine pleine de walkmans. Nadine demande au vendeur de lui en sortir cinq ou six différents. Elle se sent bien, à croire que son corps produit de la coco en permanence et la tient très très haut. Le vendeur a une bonne tête. Les cheveux en brosse, boucle d'oreille. Compétent et affable, un espace entre les dents de devant. Il ne sait pas. Il y a toujours eu cet espace entre elle et les gens, ce quelque chose de terrible qu'elle avait peur qu'ils découvrent et c'était ridicule puisqu'elle n'avait rien à cacher. Maintenant elle a de bonnes raisons de craindre leurs indiscrétions, de bonnes raisons pour trouver leur amabilité déplacée. Cette bonne vieille sensation d'imposture, d'abuser de la confiance des gens. Le vendeur ne sait pas. Il déblatère des trucs sur les modèles respectifs. Souriant et pas trop arnaqueur. Nadine les essaie un par un, plaisante avec le jeune homme. Elle sent confusément qu'elle lui plaît. Ça l'excite à fond.

Les mains dans les poches, Manu a fait le tour de la boutique sans dire un mot. Elle se rapproche du comptoir et dit :

— Prends-les tous, je vois pas pourquoi on s'emmerderait.

Le vendeur trouve la boutade drôle, il rigole de bon cœur. Nadine est appuyée au comptoir, penchée vers lui. Il a un joli rire, un rire de gosse. Quand elle voit sa face changer radicalement d'expression, elle se déporte spontanément sur le côté, pour laisser le champ libre à Manu. Elle a le temps de demander :

— On peut payer par balles ?

Et en ricanant bêtement, elle ouvre son sac et balance tous les walkmans à l'intérieur. Elle relève la tête quand ça explose : ça lui a bousillé le ventre en son milieu, la vitre derrière lui en a pris un sacré coup aussi. Ça fait mauvais trucage, le sang en gerbe derrière. Elle se penche sur le comptoir pour attraper des piles. Il se tortille par terre en hurlant. Manu se penche à son tour, décrète :

— Y a plus de peur que de mal.

Elle passe par-dessus le comptoir, bloque la tête du type avec son pied et se penche pour coller le canon dans ses cheveux et tirer à nouveau. Il est secoué de spasmes, puis il se détend brusquement.

Elles sortent et se dépêchent de changer de coin. Les walkmans dans le sac pèsent lourd et font un drôle de cliquetis. Manu claque des doigts, passablement agacée :

— Putain, on a pas le sens de la formule, on a pas la bonne réplique au bon moment.

— On a eu les bons gestes, c'est déjà un début.

— Ouais, mais maintenant que c'est mon tour de piste, je préférerais soigner ça.

Nadine ne répond rien. Elle est un peu déçue parce qu'il lui semblait justement qu'elles assuraient pour la réplique. La petite insiste :

— Merde, on est en plein dans le crucial, faudrait que les dialogues soient à la hauteur. Moi, tu vois, je crois pas au fond sans la forme.

— On va quand même pas préparer des trucs à l'avance.

— Bien sûr que non, ça serait contraire à toute éthique.

Nadine change de sujet :

— Putain, mais y a personne dans les rues où on va. Tu te rends compte comme c'était facile ? J'aurais pas cru ça, sinon ça ferait un moment que je me serais servie.

— Faut y aller à l'instinct et ça marche correct. D'autres fois, tu vas cogiter un truc mortel et tu vas te faire niquer pour un stupide détail. Faut faire confiance, t'es obligée.

Elle a coincé le flingue entre son ventre et son pantalon. Elle le sent quand elle marche, elle est sûre que le canon est chaud. Elle grommelle :

— Par contre, faut pas que j'oublie que j'ai que huit coups, j'ai pas les moyens de me lancer dans de la gun-fight spectaculaire.

— Ouais, faudrait pas que tu fasses trop ta maligne.

— Faut pas qu'on déconne, grosse, faut penser à acheter à boire avant de rentrer.

## 8

Personne ne les attend à l'hôtel. Le réceptionniste a changé. Le nouveau leur parle pendant qu'elles attendent l'ascenseur. Avant qu'elles montent, il dit :

— Si vous vous ennuyez le soir, vous pouvez descendre boire un coup, y a des bières au frais.

Nadine tourne la tête et lui sourit. Il a de grands yeux bruns, quand il est sorti de derrière son bureau, elle a vu ses chevilles nues dans des baskets basses en toile. La peau mate et le sourire bien blanc. Elle ajoute : « À tout à l'heure » avant que la porte ne se referme. Ce serait cool de l'attraper.

Elles boivent du whisky. Nadine le noie dans du Coca, Manu désapprouve :

— Je trouve cette pratique totalement barbare, ça me désole de te voir faire ça.

Nadine ne trouve rien à répondre. Elle demande :

— Ça te fait pas bizarre qu'il ne se passe rien ?

— Arrête de débloquer une seconde... On peut pas dire qu'il se passe rien.

— Non, je veux dire qu'on soit là à glander à l'hôtel, après tout ça. Tout ce sursis, à croire que tout est permis.

— Tactiquement, c'est pas bon de penser à ça. Parce que ça fait irrémédiablement penser à quand tu vas te faire pécho. Et ça c'est nocif au mental, c'est un coup à mal dormir.

Nadine trouve le conseil judicieux et y réfléchit en silence. Puis elle se ressert un verre et Manu recommence à déblatérer contre le mélange whisky-Coca.

## 9

Plus tard, Manu est descendue toute seule faire un tour. Dans un rade, elle commande un café-cognac. Les murs sont peints en jaune terne, les plafonds et les comptoirs en faux bois foncé. Bar de quartier. Tasse brune, soucoupe verte, cendriers jaunes en plastique. Elle se sent comme à la maison.

Elle s'est mise dans un coin, le miroir accroché à sa droite est crasseux, couvert d'une pellicule de graisse, maculé d'empreintes de doigts et de corps de mouches écrabouillés contre. En blonde, elle a une tête de tapin bon marché, en plus elle n'a pas lésiné sur le rouge à lèvres. Elle s'aime bien comme ça, ça lui va bien.

Elle fait des moues avec sa bouche, se mate dans le miroir en train de tendre les lèvres, puis elle sourit niaisement et joue avec le bout de sa langue. Bouffeuse de pine, elle se trouve très réussie dans le rôle. Elle serait un garçon, elle aurait envie de s'enfoncer la queue jusqu'au fond de la gorge, jouer du gland contre le gosier. C'est dommage que Nadine ne soit pas là, elles pourraient causer pipe, avec ou sans rouge à lèvres, ça change tout.

Ses cheveux dégoulinent sur ses épaules en boucles molles. Elle a laissé son empreinte de rouge à lèvres sur le mégot et sur le bord du verre. Une fois, Lakim lui avait dit : « T'es le genre de fille qui laisse des traces sur tout ce qu'elle touche », alors qu'elle lui passait un pétard taché de rouge au filtre. Elle s'était foutue de sa gueule, à cause du côté romantique mal inspiré. En fait, c'était gentil. C'est con pour lui qu'elle soit partie avec toute sa thune, il avait du mérite à l'avoir mise de côté. Elle rigole toute seule. Effectivement, c'est con pour lui, c'est le moins qu'on puisse dire. Elle pense à la tête qu'il ferait s'il savait comment elles les ont claquées, ses pauvres économies. Pour avoir laissé une trace, elle aura laissé une trace ! D'autant que le Radom Vis 35 qu'elle lui a emprunté lui a certainement déjà valu la visite des flics. Ce type a été gentil avec elle, il l'aimait bien. N'empêche, c'est tombé sur lui, bêtement. Le mauvais endroit, le mauvais moment, la mauvaise partenaire. Qu'est-ce que tu veux qui t'arrive de bon dans de telles circonstances ?

Elle allume une cigarette, un type en imper au comptoir la mate avec insistance. Soit il l'a vue en exploser un dans la journée, et il ne devrait pas la fixer comme ça ; soit il aime la connasse bien vulgaire. Elle a un faible pour les garçons qui ont bon goût. Elle glisse sa main entre ses jambes en le regardant, écarte légèrement les cuisses, remonte la main sur son ventre, penche la tête et se fait briller la bouche en y passant le bout de la langue. Puis son autre main passe sur sa poitrine, comme pour remettre son pull correctement.

Elle laisse de la thune sur la table. Il la suit quand elle sort. Il fait vraiment bon dehors. Elle pense : « Pourvu que ça ne soit pas un détraqué, ce serait con de me faire taillader le ventre maintenant. » Elle a son gun quelque part dans son sac, mais il aurait le temps de l'assommer avant qu'elle le retrouve. Tout cela est mal organisé. Elle joue de la croupe ostensiblement. Elle le sent juste derrière elle. Elle ralentit, s'arrête devant une vitrine d'appareils ménagers. Il se tient derrière elle, caresse son cul avec toute la main, sans hésitation, lui palpe fermement l'entre-cuisses. Elle se cambre un peu, frotte ses fesses à la queue qu'elle sent déjà bien dure. Par-derrière, il empoigne ses seins, les malaxe et les pince. Elle sent son sexe à elle se mouiller par petites giclées nerveuses et chaudes. Il l'entraîne sans la lâcher jusqu'à un recoin où sont entassées des poubelles. Odeur d'ordures, murs en béton gris. Elle baisse son collant jusqu'aux genoux, suce deux doigts et les passe dans sa fente qu'elle écarte généreusement pour qu'il vienne. Elle est appuyée au mur de l'autre main. Il rentre d'abord juste le bout de son sexe, l'appelle sa petite salope en lui tirant doucement sur les cheveux. Puis l'écrase contre le mur en lui écartant les reins. Bruits mouillés du dedans-dehors, bonne cadence des ventres qui ont des choses à se dire. Elle s'habitue à lui, chope le rythme et bouge en conséquence. Il balance le coup final et éjacule en grognant. Comme elle sent qu'elle peut rester encore un moment en l'air, elle se branle sans se retourner pendant qu'il se rhabille. Tend son corps quand elle vient, puis se laisse glisser à genoux, le temps de récupérer. Elle l'entend partir, elle ne bouge pas tout de suite. En regardant l'allée, elle se demande ce qu'elle préfère y pratiquer, la levrette ou le carnage. Pendant que le type la besognait, elle a pensé à la scène de l'après-midi, comment Manu a explosé la femme contre le mur, comment elle s'est fait détruire par le gun. Bestial, vraiment. Bon comme de la baise. À moins que ça soit la baise qu'elle aime comme du massacre. Elle remet ses collants et sort de l'allée. Il fait vraiment trop bon dehors, elle retourne à l'hôtel sans se presser.

## 10

Le mec à la réception a l'air content quand Nadine descend. Il lui offre une bière, elle s'assoit à côté de lui devant la télé. C'est une toute petite pièce juste derrière le comptoir. La lumière bleue de l'écran lui rappelle le vieux de l'impasse Casino.

Il la détaille discrètement de profil, lui fait la conversation. Ils parlent des émissions télé qu'ils aiment bien. À un moment, il la prend par le menton en lui faisant un compliment bidon, elle rougit, baisse les yeux. Il dit :

— C'est dingue comme t'es timide, toi.

Il l'embrasse, sa langue accélère dans sa bouche, comme pour exprimer qu'il s'excite. Il retourne chercher deux bières. Il est vraiment jovial et content de comment ça se passe, il lui parle comme s'ils étaient deux gamins qui s'aiment bien dans la cour de récréation. Il met sa main sur son épaule, caresse sa nuque. Elle fait attention au frisson qui la traverse, elle aime bien qu'il parle doucement, qu'il fasse de la tendresse. Lui parle comme à une môme. Petite, elle enlevait sa culotte dans la cour de récréation et les garçons pouvaient lui toucher les fesses contre des Carambar. Des séances qui la rendaient furieusement fébrile au bas-ventre, elle ne savait pas encore qu'il fallait se toucher pour en profiter.

Elle l'embrasse longtemps, il n'ose pas trop la peloter, Nadine le soupçonne d'avoir peur qu'elle le prenne mal. Il a les lèvres charnues, des traits d'enfant sur un visage d'homme, un enfant arrogant et exigeant, habitué à beaucoup d'amour. Les yeux mi-clos, il se laisse caresser, elle sent que sa queue est dure sous la toile du jean. Elle se met à genoux en face de lui, sort son sexe et lèche le gland en bénissant la circoncision. Si elle fait de son mieux, s'applique avec sa bouche à le toucher comme il aime, avec ses doigts trouver comment prendre ses couilles, si elle fait de son mieux, elle l'entendra gémir. Elle relève la tête pour le voir, le fameux échange de regards entre suceuse et sucé. Son sexe est fin et court, elle peut l'absorber entier et le garder longtemps en le travaillant avec la langue sans être gênée pour respirer. Elle en fait bon usage, lui fait du bien autant qu'elle peut. Il caresse sa nuque, se laisse faire sans la guider. Elle le sent se tendre comme si elle faisait quelque chose de très important, puis se relâcher en soufflant joliment. Elle demande : « Branle-toi devant moi » et le regarde faire. À un moment, il l'attrape par les cheveux et se sert de sa bouche. Tout vient directement au fond de sa gorge. Ça a toujours le même goût, ça change juste en quantité d'un garçon à l'autre. À moins qu'elle ne fasse pas assez attention.

Après, il est un peu gêné, mais il reste gentil avec elle, à lui raconter des histoires. Elle dit que sa copine a un peu le blues et qu'elle préfère remonter avec elle. Il demande si elle reviendra, elle hausse les épaules, dit qu'elle ne sait pas si elle pourra. Il a l'air décontenancé et il insiste un peu pour qu'elle revienne. Elle remonte. Manu n'est pas revenue à la chambre. Nadine cherche la bouteille de whisky, prend une douche, aligne les walkmans sur le lit, il y en a cinq. Elle les essaie un par un et repère sans problème le meilleur de tous.

*DEATH ROW. HOW LONG CAN YOU GO.*

## 11

Quand Manu rentre, Nadine se rend compte qu'elle est complètement raide parce qu'elle a du mal à se mettre assise, la tête qui tourne à fond dès qu'elle bouge. L'autre braille : « Te dérange pas pour moi » et elle vient à côté du lit. Elle demande en se désapant :

— Est-ce qu'il a fait de toi une femme épanouie ?

Parce qu'elles avaient discuté du réceptionniste avant qu'elle aille faire un tour. Nadine répond :

— Tout s'est passé exactement comme il fallait que ça se passe.

— C'est souvent comme ça avec le sexe.

— Je te trouve bien alerte, très « femme épanouie justement ».

— Juste. Est-ce que tu as fini la bouteille de skiwi ?

— Je te ferais pas ça.

Le temps que la petite aille la chercher à l'autre bout de la pièce et Nadine dort du sommeil du raide. Manu allume la télé. Éventre un paquet de fraises Tagada et les mélange avec des M&M's. Elle puise dans le tas par poignées et regarde des clips à la télé. Elle a rapporté de la bière en petites bouteilles qu'elle envoie rouler sous le lit quand elle en a fini une. Elle attend d'être vraiment défoncée pour aller se coucher. Elle pense à ses loyers en retard qu'elle n'a pas payés, ça lui serre l'estomac dès que ça lui vient à l'esprit, une angoisse de réflexe. Elle met un peu de temps à réaliser qu'elle n'en a plus rien à foutre. Un point de détail, et encore. Elle s'enfonce bien dans son fauteuil. Nadine dort roulée en boule sur le lit, elle a souvent des attitudes de gros bébé battu quand elle se laisse aller. Aux coudes, sa peau est un peu plus rugueuse, grise. Manu éteint sa clope sur l'accoudoir du fauteuil. Elle y croit pas une seconde, comme les clips à la télé sont chouettes. Elle décroche le téléphone, demande le numéro de sa propriétaire à la réception. Elle le connaît par cœur, à force d'appeler pour s'excuser de ce qu'elle va encore payer en retard, s'en prendre plein la gueule parce que l'autre est vraiment une vieille pute. Le réceptionniste demande s'il peut « se permettre de demander à parler à Nadine ». Manu répond : « En tout cas, moi, à ta place, je me permettrais pas, connard » et lui demande de lui passer sa communication. La vieille met un moment à décrocher, Manu hurle littéralement :

— Vieille peau, mes loyers de retard, tu peux te les carrer au cul, jamais j'te les paierai, tu m'entends ?

Elle raccroche en souriant bêtement. Nadine grommelle quelque chose, se retourne sans se réveiller. Manu ouvre une nouvelle bière et se promène de long en large dans la chambre en tapant dans l'air avec son poing, surexcitée et euphorique, elle répète :

— Qu'est-ce que tu crois, vieille pute ?

En s'étranglant de rire.

Nadine se réveille en pleine nuit, on entend de l'eau couler dans la chambre à côté. Ses draps ne sont pas trempés de sueur. Même pas de cauchemar. Pas de poids sur l'estomac. Souvent, elle se réveille brusquement, quelque chose couché sur elle l'étouffe tendrement et inexorablement. Ce soir, elle a tout l'air qu'elle veut pour respirer à satiété. Par contre, elle n'a plus sommeil, elle met son walkman, essaie de se souvenir : « Il y a une semaine à cette heure-ci, qu'est-ce que je foutais ? » Elle abandonne, allume une clope. *We will pretend we were dead*. Fin de cassette, elle fouille dans son sac, cherche quelque chose qu'elle aurait envie d'écouter. Puis réalise que le plus sage, c'est encore de mettre l'autre face de la même cassette. Manu dort sur les draps, elle est étendue sur le lit, les bras en croix.

Nadine s'assoit sur le bord de la fenêtre, rien à voir dans la rue.

*Her clit was so big, she didn't need no ball.*

Manu grogne dans son sommeil puis se réveille aussi. Ouvre une canette de bière, se lève pour prendre une douche. Elles décident de partir pour Bordeaux. De changer de voiture. Il est presque 6 heures. Il n'y a pas de bar ouvert. Elles marchent sans rien dire et sans croiser personne. Lumière orange sur les trottoirs, pas de bruit.

Puis elles rentrent en discussion parce que Nadine a envie de prendre le train et pas Manu.

Plus loin, un type en complet sombre retire quelques billets. Sa Range-Rover grise est stationnée devant, le contact n'est pas coupé. Ronronnement du moteur de plus en plus net à mesure qu'elles avancent. Elles découvrent une silhouette qui attend dans la voiture. Sûrement la pute qu'il vient de ramasser en boîte et il est venu tirer des francs pour une chambre d'hôtel.

Manu fouille fébrilement son sac, sort le flingue qu'elle tripote pour ôter les sécurités, tend le bras et fait du bruit, sans s'être arrêtée de marcher. Dans le matin, le bruit est carrément terrifiant, en contradiction avec le joli mouvement très doux et ralenti des billets qui s'éparpillent mollement sur le trottoir. Nadine est arrivée à la voiture pile pour cueillir la fille qui en sort précipitamment et sans un bruit, parce qu'elle sait que peut-être elles ne l'ont pas vue et qu'elle a une chance de s'éclipser discrètement. Nadine la plaque ventre contre terre et la petite lui loge trois balles au hasard dans le haut du corps. Elle replie gracieusement le bras après chaque détonation.

Elles montent dans la voiture, démarrent. Plusieurs fenêtres sont allumées et quelques têtes timidement sorties tâchent d'y comprendre quelque chose. Nadine contemple en silence le défilé de lucarnes éclairées, elle dit :

— On est cernées par les témoins, c'est le bruit qui les fait sortir.

— Ce bruit est chouette, carrément. Pis je commence à être bien à l'aise moi, je dois faire plaisir à voir. Prends pas l'autoroute, grosse, ça me fait flipper, en cas d'embrouille, on peut pas s'échapper.

— De toute façon, compte pas trop sur moi pour les courses-poursuites, j'y crois pas.

— T'es moitié conne, toi ; tu comptes quand même pas griller la cascade en voiture ? Vu c'qu'on a à perdre, j'espère bien que tu mettras la pression jusqu'au dernier moment... Sinon, c'est même pas la peine...

Nadine met une cassette : *When I wake up in the morning, no one tell me what to do*, et monte le son. Elle ouvre sa fenêtre et parle fort pour couvrir le boucan :

— Putain, on s'y croirait : *no red light, no speed limit*.

— Putain, mais on y est, t'as vu comment on l'a calmé net, le trou-du-cul ? Monsieur Costard-Trois-Pièces, bonjour.

Elle imite la détonation avec sa bouche, éclate de rire, ajoute :

— Faut s'occuper des munitions aujourd'hui, cadence infernale oblige.

— De toute façon, il faut qu'on fasse une armurerie, il me faut un flingue aussi.

Manu la regarde, la bouche grande ouverte, puis prend son temps pour bâiller avant de commenter :

— Évidemment, qu'il t'en faut un ; putain, j'y avais même pas pensé. Quelle chouette idée, quelles chorégraphies de rêve on va pouvoir inventer toutes les deux ! Tu sais où tu passes pour aller à Bordeaux ?

— Non, puis je vois pas les panneaux, je suis trop myope. Tâche de me dire au fur et à mesure.

— On s'en fout remarque, t'as qu'à rouler.

*I want it now, she said I WANT IT NOW.*

## 12

Elles passent tout le dimanche enfermées dans une chambre d'hôtel. Manu s'est peint les ongles en rose pâle, elle les secoue consciencieusement pour que ça sèche plus vite. Nadine arrache des pages dans des bouquins porno. Le walkman à fond, ça lui sature dans les tympans : *Here comes sickness*. Elle a coincé le polochon sous son ventre et elle se branle contre en regardant les photos.

La blonde au sexe épilé retient toute son attention. Sur la première photo, elle porte une robe longue, fendue très haut sur la cuisse en un éclair blanc. Sous le tissu on lui devine l'arrondi des hanches et le ventre. Les cheveux font crinière et cascade jusqu'au bas du dos, soulignent la chute des reins. Des cheveux pour y glisser la main et tirer la tête vers l'arrière. Poitrine gonflée, style poupée de BD. La fille entière est classée X, comme si elle transpirait le foutre.

Sur la photo suivante, elle écarte amplement les cuisses, nonchalante et souriante. Lèvres du ventre imberbes, la peau y semble douce.

On la voit ensuite renversée sur le dos, somptueuse et offerte. Les petites lèvres parées de pierres brillantes, un anneau doré traverse le clitoris. D'une rare élégance. L'entrejambe scintillant comme une enseigne de bordel.

Transgression. Elle fait ce qui ne se fait pas avec un plaisir évident. Le trouble vient en grande partie de l'assurance tranquille avec laquelle elle se dévoile.

Nadine la contemple longuement, impressionnée et respectueuse comme devant une icône.

Nadine a étalé les journaux autour du lit. Elle les reprend les uns après les autres, revient toujours à celui où il y a la femme blonde. Parfois, elle éteint son walkman un moment pour expliquer quelque chose à Manu. Sur la magie de l'image ou le mot qui t'allume le ventre. Puis elle remet son casque et continue son examen des copines à tout le monde. Au début, ça l'a gênée de se masturber avec la petite juste à côté et puis, à mesure qu'elles ont bu, elle s'est habituée à cette idée.

Assise sur sa chaise, en train de se peindre les orteils, la petite la regarde bouger son bassin contre le polochon, d'abord distraitement et lentement, puis le mouvement s'accélère, jusqu'au moment où elle s'immobilise et rentre sa tête entre les bras. Juste après, elle change de position, allume une clope, se met à discuter. On dirait que dès que c'est venu elle se sent obligée de refaire surface au plus vite.

Et elle recommence à feuilleter ses magazines, remet son walkman en marche et réfléchit à des choses en alignant ses images.

À la fin de la journée, elle plie soigneusement les photos de la blonde au sexe épilé, se lève et s'étire. Manu s'est coupé les cheveux d'une étrange façon.

Elles s'ennuient tranquillement et attendent que ça se passe. Font des allers et retours du McDo à leur chambre, jusqu'à ce que le McDo ferme. Manu est déçue parce qu'elle avait fait copine avec un serveur du McDo pubère depuis peu et elle pensait qu'il passerait à l'hôtel en finissant. Mais il prend poliment congé d'elle et se dépêche pour attraper le dernier bus. Elles rentrent à pied. Nadine dit, pour dire quelque chose :

— J'ai remarqué que les garçons avaient souvent du tact pour repousser les avances des filles. Enfin, pas systématiquement, mais généralement ils font un effort. Lui, il a fait de son mieux pour se défiler sans être désagréable.

— Ce connard m'a envoyée chier comme un connard. Je vois pas en quoi il a eu du tact ; tu voulais pas qu'il me crache à la gueule quand même ?

— Il a rien dit de méchant, c'est ça que je voulais dire.

— Il m'a pas traitée de poufiasse avariée, c'est vrai qu'il aurait pu. Tu discutes vraiment pour discuter.

Elles rentrent en silence à l'hôtel, les bras pleins de paquets McDo remplis de bières.

Finalement, Manu est malade. Elle vomit à grands flots, agenouillée devant la cuvette. Les épaules secouées à chaque gorgée qu'elle rend, elle se vide l'estomac en s'enfonçant deux doigts dans la bouche. Se rince le visage en aspergeant toute la pièce et finit sa dernière bière à la paille avant de se mettre au lit.

Nadine regarde le plafond, les bras croisés derrière la nuque.

*Suicidal tendencies.*

## 13

Ce matin, Nadine a acheté un tailleur bleu
marine et une serviette en cuir. Elle s'est teint
les cheveux en noir et les a relevés en chignon.
Ses talons font un bruit d'enfer. Manu marche
derrière elle.

La plus grande rentre la première dans une
armurerie. Elle a demandé à Manu d'attendre
devant un moment.

Le vendeur est un petit homme malingre et
presque chauve. Nerveux. Nadine et son histoire de mari passionné d'armes a l'air de lui
plaire, il lui fait une démonstration passionnée,
sort des coffrets et des catalogues. Elle l'écoute,
sourcils froncés, tâche d'y comprendre quelque
chose. Elle en rajoute dans le registre bonne
élève concentrée, elle savoure le moment. Elle
lui regarde les poils du nez dépasser par petites
touffes, elle susurre plus qu'elle ne parle. Elle se
sent dégouliner d'affection pour ce type adipeux,

hautain et imbu de lui-même. Elle se penche sur le comptoir pour lui faire voir son décolleté. Elle se délecte de lui parce qu'elle le trouve insupportable et qu'elles vont lui mettre un terme à la connerie. Une perspective réjouissante.

Manu entre à son tour. Imper rose, cheveux orange parce que la coloration n'a pas fonctionné comme prévu, rouge à lèvres rose nacré, fond de teint orangé en couche épaisse et Ricils bleu. Le style poufiasse lui va bien. Le vendeur lui décoche un sale coup d'œil et ne répond pas à son bonjour. Il veut bien de la femme dans son magasin, mais pas de la morue. Elle fouille dans son sac. Il explique pour Nadine : « Le 10 Auto arrive cette année en tête du classement français. Dans votre cas, le 40 Smith et Wesson pourrait convenir. Si votre mari est amateur de parcours de tir... »

Manu l'interrompt :

— Et si sa femme est amatrice de tir au connard ?

Il relève la tête, ses narines se dilatent un peu, mais il reste très rigide. Manu tire au moment où il comprend que c'est un flingue qu'elle tient.

Elles paniquent plus que les fois précédentes, embarquent plusieurs flingues dans la serviette en cuir, des boîtes de cartouches au hasard.

Sonnerie de la porte, elles sursautent et se retournent. Deux types rougeauds entrent dans le magasin, ils se ressemblent un peu. Manu tire au ventre. Après quelques pas de danse hésitants, ils s'affaissent à peu près synchroniquement, sans grande conviction et avec une même expression stupide et décontenancée. La petite marche sur eux et tire dans chaque tête, pour être sûre.

Elle retient Nadine par la manche et dit en désignant les corps :

— Regarde-les, ceux-là, c'est de la caricature, toutes les fois que t'en as croisé des comme ça et que t'as eu envie de tirer...

Nadine regarde les deux corps, tombés n'importe comment, étalés par terre, on dirait que la déchirure au ventre va s'élargir brusquement et qu'un monstre va en surgir. À cause du sang qui sort, la plaie semble un rien frémissante. Elle fait la moue :

— C'est tous pareils. Surtout à ce stade. On est bien peu de chose quoi...

— Mais non, c'est pas tous pareils, ceux-là ont vraiment des sales gueules de vigile ou un truc comme ça. Le style raciste grincheux agressif et dangereux. C'est de la tuerie d'utilité publique.

Quand elles se retournent pour sortir, elles se rendent compte qu'il y a du monde amassé devant la vitrine.

Manu fait une sortie l'arme au poing, disperse le badaud en hurlant : « Barrez-vous, tas d'connards. » Nadine la suit tant bien que mal, quitte ses chaussures et court pieds nus.

Il y a eu de la panique derrière elle, il y a eu du poursuivant têtu. Et puis un concours de circonstances favorables, quelques voitures qui traversent quand il faut, quelques judicieux tournants, et cette peur infernale qui colle des ailes aux pieds et leur donne l'avantage sur tous les poursuiveurs.

Elles ralentissent quand il semble qu'elles ont vraiment semé leurs poursuivants. Nadine a les pieds en sang et ses collants se sont littéralement désintégrés jusqu'à la cheville. Avant même d'avoir correctement récupéré son souffle, Manu vocifère :

— Comme on les a plantés derrière nous, ce gros tas de gros connards, j'y crois pas une seule seconde. Ils s'imaginaient quand même pas qu'ils allaient nous mettre la main dessus ?

## 14

Debout dans la salle de bains, elle coupe des mèches de ses cheveux, se demande comment on fait pour que ça ait l'air normal. Dans la pièce à côté, Manu entre en transe, accroupie au milieu de journaux étalés par terre :

— Bordel, mais c'est la première page partout ! Terreur sur la ville, carrément.

— Tu crois qu'il y en a beaucoup des gens assassinés par balle par jour ?

— J'en sais rien, moi. Quelques-uns. Je vais lire les articles, peut-être qu'après je pourrai te renseigner.

— Y a nos têtes ?

— Non, putain, c'est vraiment pas des lumières, y a des portraits-robots tout niqués, t'as une tête de boxeur et, moi, on croirait que j'ai quinze ans et que je fais ma première fugue. Sérieusement, personne peut nous reconnaître à partir de ça. Aucun rapport. À part qu'on est deux filles et y en a une plus grande que l'autre.

Nadine se penche sur les deux portraits-robots. Ça leur ressemble plutôt bien. Elle dit :

— C'est pas bon pour nous, ça.

Manu se lève pour aller cracher dans la cuvette des chiottes, elle dit :

— Faut pas rêver. Ta gueule de pute dans les journaux, c'est pour dans pas longtemps. Pis avec le cinéma qu'on a fait ce matin chez le vendeur de guns, j'ai dans l'idée qu'ils vont faire de gros progrès sur les portraits-robots. C'est bien la première fois qu'on laisse un aussi gros tas de survivants...

Elle se rassoit et tourne les pages des journaux sans les lire. Elle ajoute au bout d'un moment :

— En vérité, ça va se compliquer pour nous, c'est sûr. En fait, à partir de maintenant, on est interdites d'hôtel. Et d'ici peu de temps, on sera interdites de rue.

Nadine recommence à se couper des cheveux où ça semble judicieux, derrière elle, la petite lit les horoscopes à voix haute.

Puis elle vient s'asseoir sur le lit, constate que la bouteille est vide et décrète :

— De toute façon, il faut qu'on tienne jusqu'au 13. On va ruser d'ici là, on va bien se débrouiller. Les femmes font tellement n'importe quoi de leurs corps, on peut se déguiser sans étonner personne. Toutes façons, y a pas de raison pour que les gens qu'on croise se demandent si c'est nous, c'est grand la ville, quand même. Mes cheveux, je les ai coupés, bizarre, non ?

Manu la regarde, bouche ouverte, on voit ses couronnes au fond :

— Ça te change. Avant, ça te cachait un peu la gueule, les tifs devant. Maintenant, c'est direct sur les cernes. Tu fais dépressive comme ça. Ça sera un test, si les prochains portraits publiés, c'est deux grosses taches noires avec un peu de gueule autour, c'est qu'ils ont une bonne technique.

— Ou qu'on a laissé trop de témoins vivants. Comment tu crois qu'ils font pour l'enquête ?

— Jamais travaillé chez les flics. Mais je pense qu'ils vont voir les voisins. Qui racontent des conneries… Je sais pas comment ils enquêtent. C'est paradoxal, ces gens ; à la fois, t'as jamais vu plus mongol. Et, à la fois, c'est vraiment des têtes. C'est ça leur force, tu sais jamais à qui t'as affaire. À mon avis, la seule technique, c'est de les prendre pour des cons, sinon ça te déboussole.

— Faut qu'on fasse de la route aujourd'hui.

— Faut qu'on montre notre cul. Faut que tous les gens qu'on croise regardent notre cul et rien d'autre.

— Faut mettre des lunettes aussi. Des chapeaux.

— Ouais, faut faire dans l'accessoire. Faut faire ce qu'il faut pour faire durer le plaisir. C'est la dernière fois qu'on va à l'hôtel. Maintenant, on ira chez l'habitant.

— Tu penses à quelqu'un ?

— Non. Je pense à la première maison qu'on croise. On rentre, on tire et on s'installe.

— Brillant.


Manu mange du chocolat avec des amandes dedans, elle croque directement dans la tablette. Nadine a aligné les flingues sur le lit. Elle en prend un qui fait vraiment western, avec un barillet Taurus. Elle le regarde sous toutes les coutures.

— Ça va m'exploser dans la gueule.

Elle ne sait pas comment l'ouvrir, elle joue avec devant la glace.

Elle prend son walkman, descend acheter des revues sur les armes. *Is she pretty on the inside, is she pretty from the back, is she ugly on the inside, is she ugly from the back ?*

D'avoir vu leurs portraits dans les journaux la rend beaucoup plus nerveuse qu'il y a quelques heures.

Elle est mal à l'aise dans le magasin de journaux. Elle feuillette *Action Guns* et *Cahiers du pistolier et du carabinier*. Elle ne s'est jamais intéressée aux armes. Quelque chose qui se précise, quelque chose qui promet d'être drôle. Pourvu qu'ils lui laissent le temps. La dame à la caisse lui propose un sac pour les mettre, comme quand elle achète des trucs de porno hard.

Elle s'arrête chez un vendeur d'alcool, les bouteilles sont présentées comme des alliances dans une bijouterie. La vendeuse est plantureuse, extrêmement souriante et bien de sa personne. De l'or presque à chaque doigt et les sourcils épilés très fins, des mamelles énormes et solidement contenues. Ça doit être peinard pour elle de branler les garçons entre ses seins. Nadine achète du whisky et du vin vraiment cher dans des caisses avec de la paille. Elle a intérêt à claquer sa thune, ça serait con de se faire attraper les poches pleines. Elle est bien aimable avec la vendeuse qui le lui rend bien. Pendant qu'elle lui emballe ses bouteilles en discutant coteaux de Provence, Nadine essaie de l'imaginer quand elle baise. Est-ce qu'elle dit des trucs sales, est-ce qu'elle a toujours envie ? Elle est bien du genre bourgeoise vicieuse. Le contraire serait dommage.

Elles se disent poliment au revoir.

*When I was a teenage whore, I gave you plenty, baby, you wanted more...*

La cassette s'arrête au milieu du morceau, elle sort son walkman de sa poche pour changer de face. Un gamin siffle : « Ça c'est du walkman. » Elle relève la tête, il a une bonne tête de racaille. Avec de l'insolence dans le sourire, un garçon qui doit affoler les filles. En tout cas, il lui plaît bien. Il s'approche d'elle, demande :

— Sans indiscrétion, qu'est-ce que tu écoutes, charmante jeune fille ?

Il lui parle comme un homme qui pratiquerait la drague intensive, alors qu'il ne s'est certainement jamais fait sucer. Elle sort sa cassette, bafouille :

— J'écoute rien d'intéressant, tu veux le walkman ?

Elle le lui laisse dans les mains et se barre. Il la rattrape :

— Merci, il est super bien... Mais ce que j'aimerais vraiment, tu vois, c'est te payer un café.

Elle décline l'invitation, ça le fait rire, il dit :

— En fait, ça m'arrange bien que tu refuses, j'ai même pas les francs pour un café... Je suis trop pauvre pour me faire des femmes, c'est ça mon problème.

Elle rentre. À l'hôtel, elle a gardé un autre walkman. Manu a expédié les trois autres, enveloppés dans des billets de banque pour pas qu'ils se cassent pendant le transport, à un gamin qu'elle connaît et qui s'est fait vitrioler la face. C'est son côté scout qui ressort par moments et contamine Nadine.

## 15

Quand elle entre dans la chambre, Manu
est accroupie dans un coin. Elle ne porte que
ses hauts talons qui s'enfoncent un peu dans la
moquette. Elle regarde attentivement du sang
couler d'entre ses jambes, bouge son cul pour
faire des traînées. Les taches rouge sombre restent
un moment à la surface, bulles écarlates et brillantes, avant d'imprégner les fibres, s'étaler sur
la moquette claire.

Nadine s'accroupit en face d'elle, considère
sentencieusement le mince filet de pisse rouge
très épaisse qui lui sort par saccades plus ou
moins généreuses. Dedans, il y a des petits lam-
beaux plus sombres, comme la crème dans le lait
qu'on retient avec la cuillère. Manu joue avec ses
mains entre ses jambes. Elle s'est barbouillée de
sang jusqu'aux seins. La petite dit : « Ça sent bon
dedans, enfin faut aimer. » Puis braille en faisant
un geste de la main vers les quotidiens entassés :

— Sale race, ces journalistes. C'est bidon. T'as ramené à boire ? C'est chouette ça. T'as mis du temps, grosse… Je commence à me tourmenter dès que t'as du retard. Ça te fait pas chier que je mette du sang partout ? J'saigne comme une chienne le premier jour. Mais ça me dure qu'un jour. Quand j'étais gamine, je faisais exprès de tout tacher pour faire chier ma mère. Elle fait partie de l'ancienne école, ça la fascine pas trop ces trucs-là. Si elle pouvait, elle voterait contre. Ça la rendait carrément malade. Après, j'ai gardé le goût. C'est spectacle, merde, ça fait plaisir à voir.

— Ça doit faire plaisir à tes petits amis.

— Je m'écrasais quand même, je faisais ça dans les chiottes. J'ai remarqué que ça faisait rire que moi. Toi, t'es vicieuse et large d'esprit, j'en profite. Pis y en a pas tant que ça des mecs qui sont restés avec moi.

— M'étonne pas.

Nadine s'est relevée sans détacher les yeux des taches sur la moquette, Manu se couche sur le dos. Allongée par terre, elle joue avec ses jambes. Elle a les poils du pubis plutôt clairs, et le sang se voit bien dessus.

Dans les bouquins que Nadine a achetés, ils montrent en photo comment on démonte un flingue pour le nettoyer. Ils donnent des noms pour les parties. Face à face, chacune à un bout du lit, elles passent toute une partie de la journée à retourner les guns dans tous les sens. Manu ne s'est pas rhabillée, elle laisse des traces ensanglantées partout où elle s'assoit. Elle raconte des scènes de tir qu'elle a vues au cinéma, en parlant, elle vise des trucs dans la pièce.

C'est comme si la main était faite pour tenir un flingue. Métal contre sa paume. Évident. Ce qui manquait au bras.

## 16

Le soleil brûle encore, bien qu'il soit déjà tard. Manu, assise sur une bouche d'incendie, dit qu'elle veut apprendre à conduire :

— Ça doit être chouette. D'autant qu'on s'en fout : si on explose une caisse, on en trouvera une autre.

Nadine hausse les épaules, dit qu'elle peut lui apprendre. Elle ajoute :

— Mais ça me ferait chier de finir coincée dans de la tôle froissée à attendre Police-Secours.

— Ça te dirait pas, qu'on s'écrase dans un mur ?

— T'en as marre ? Le 13, c'est dans deux jours, moi je préfère tenir jusque-là…

— Moi, pareil. Mais le 14, on pourrait se payer un mur.

Elles marchent dans la ville, vont faire un tour à la gare, dans le quartier piétons, s'arrêtent dans un bar faire des parties de flipper, claquent plusieurs fois de suite à la loterie et en déduisent qu'elles ont la bonne étoile. Puis recommencent à marcher, une petite ville bizarrement construite, elles retombent sans arrêt sur les mêmes rues sans bien comprendre comment.

Elles croisent des gens qui ne font pas attention à elles. Combien de personnes qui se promènent, comme elles, avec des sales secrets cachés sous leur manteau. De sales idées crasseuses nourries en aparté.

Il fait nuit d'un coup, elles passent devant un salon de thé très chic et encore ouvert. Tables en rotin, vitres impeccables, dorures astiquées. Décors pour mamans sages. Vitrine pleine de minuscules pâtisseries ridicules, colorées et pleines d'angles droits ou de fruits parfaitement ronds.

Elles entrent parce que Manu trouve ça chouette comme endroit, choisissent une dizaine de gâteaux que Manu s'enfonce dans la bouche en regardant autour d'elle. Une grand-mère avec son petit-fils détourne les yeux. C'est une vieille dame modèle courant, le cheveu rare et blanc, soigneusement permanenté. Elle porte une robe stricte, dans les tons gris, col en V. Digne. Rides profondes des narines aux commissures des lèvres, pas exactement le genre de rides qu'on attrape à trop rigoler. La peau blafarde plisse dans son cou.

La vieille tente de détourner l'attention du gamin qui les fixe, fasciné par Manu qui mange mal et beaucoup à la fois. Quand elle mâche, on voit bien les couleurs se mélanger parce qu'elle garde la bouche grande ouverte. Appliquée à bien remplir son rôle d'éléphante dégénérée dans une maison de poupée.

Les deux vendeuses échangent un coup d'œil, irritées en même temps qu'un peu décontenancées, pas habituées à ce qu'on confonde leur boutique avec une cafétéria.

L'une d'elles est châtain clair, frisée. Le rose des joues aggravé par une légère couche de poudre. Les sourcils non épilés partent en « V » sur son front et lui donnent un air attentif, comme prête à gronder. Petite bouche, fine, rose comme sa blouse. La lèvre du haut est bien dessinée, celle du bas un peu plus charnue. Nadine commente : « Elle est née pour sucer, celle-là », assez fort pour que tout le monde entende.

L'autre fille est plus ronde, brunette coupée au carré. Les dents très blanches, comme de la porcelaine. Elle porte plusieurs anneaux au poignet, des cercles argentés qui bougent quand elle débarrasse les tables. Joli bruit.

Elles portent toutes les deux les mêmes blouses roses avec un col blanc et des chaussures basses en toile de couleur claire, sans tache et soigneusement lacées.

Nadine dit qu'elle n'a pas faim. Sans qu'elle sache pourquoi, l'endroit lui remet l'inquiétude en marche. Le troisième œil s'ouvre, la mauvaise voix s'enclenche. Dans ce décor et avec ces gens, elle se sent méprisée d'office, décalée. Elle se voit par leurs yeux et elle se fait pitié. Manu continue son cirque avec le gamin et ne se rend compte de rien. Nadine serre les dents et fixe la table. Elle ne veut pas que ça la reprenne. Elle est tapie au fond d'une cage, elle se recroqueville dans un coin, des mains aveugles et invisibles cherchent à l'agripper. Elle sent leurs mouvements dans le noir. Elle est vulnérable et pétrifiée de terreur. Il faut trancher ces bras qui lui veulent du mal. En elle, l'araignée règne et l'attend, avec une infinie patience.

Du coin de l'œil, elle surveille les deux caissières, elles ont peur. Cette pensée dénoue l'oppression, par magie.

Les deux filles ont peur. Elles crânent encore un peu et nettoient leurs comptoirs. Mais elles crèvent de peur.

Nadine pense : « Ces connes nous ont peut-être reconnues et appelé les flics. »

Mais elle n'y croit pas.

Il y a quelque chose chez elle et chez Manu qui les inquiète.

Nadine se rend compte qu'elle adore ça, la sensation de les sentir palpiter.

La grand-mère se lève, excédée par le petit manège de Manu. Elle rassemble ses affaires, emmitoufle l'enfant, passe à la caisse pour payer. Le gamin fait la gueule, il ne veut pas partir tout de suite. Il reveut une glace. Il fait du bruit. Il doit avoir dans les cinq ans.

Nadine pense aux journaux à l'hôtel, et aux assassins d'enfants. Elle pense aux gros titres et aux commentaires de comptoir quand un enfant est tué. L'effet que ça fait aux gens. Même elle, elle aurait du mal à faire ça.

S'exclure du monde, passer le cap. Être ce qu'on a de pire. Mettre un gouffre entre elle et le reste du monde. Marquer le coup. Ils veulent quelque chose pour la première page, elle peut faire ça pour eux.

Elle sort son flingue, enchaîne les gestes sans avoir à réfléchir. Respire profondément, ne lâche plus l'enfant des yeux. L'enfant qui fait son caprice et ne veut rien entendre. Le canon prolonge son bras, brille au premier plan, au milieu du visage du gosse. La vieille hurle juste avant la détonation, comme un roulement de tambour annonçant son solo.

Elle a à peine hésité. Il fallait le faire.

Elle dévisage le petit au premier coup. Juste au-dessus des grands yeux bruns renfrognés parce qu'il boude. Il n'a pas le temps de changer d'expression. Il n'a pas le temps de comprendre. En tombant, il renverse un panier plein de bonbons emballés dans du papier brillant multicolore.

Nadine se surprend à regretter que cette image ne passe pas au ralenti et à remarquer que c'est une réflexion qu'elle a volée à Manu.

La serveuse bouclée se tient prostrée derrière le comptoir, secouée de sanglots nerveux, les mains devant la tête pour se protéger. Nadine tire dans les mains, puis l'attrape par les cheveux, enfonce le canon dans sa bouche et tire une seconde fois.

Pendant ce temps, Manu s'est occupée des deux autres. La tête de la vieille a glissé sous une table, un misérable coulis de sang lui gargouille à la bouche, s'étale gentiment sur le carrelage brillant. L'autre serveuse est allongée plus loin, tout le devant d'elle est déjà rouge.

Avant de sortir, Nadine jette un dernier coup d'œil de la porte. Elle sait qu'elle a photographié la scène, et qu'elle pourra en profiter calmement plus tard. Des camaïeux de rouge, des attitudes grotesques.

En sortant, elles voient quelques têtes rentrer précipitamment. Elles détalent, Manu la prend par la main pour l'aider à aller plus vite. Elles s'engouffrent dans une ruelle, Nadine s'entend rire comme quand on rit de vertige avant la grande descente du manège. La petite ralentit, se retourne. Elles s'écroulent sur un bord de trottoir. Fou rire nerveux. Se calment, se regardent, et recommencent à rire.

À un croisement plus loin, elles demandent un renseignement à un type en BM grise. Il sort un plan de la ville pour les aider à se situer. Manu ouvre la portière et l'extirpe du véhicule par le col de sa veste. Il s'accroche à elle, elle lui décoche un grand coup de pied dans les tibias et, quand il tombe, un autre dans les gencives. Paradoxalement, Nadine entend les dents craquer sous le choc alors qu'elle est assez loin d'eux.

Elle se met au volant, fait doucement le tour du type qui se traîne à terre. Passe sur lui en accélérant brusquement, Manu a ouvert sa fenêtre et tache de le toucher. Elle vide son chargeur.

Les yeux encore humides à cause du fou rire dans la ruelle, la petite exulte, cogne son poing dans sa main en braillant :

— Putain, c'qu'on est syncros, toi et moi, j'y crois pas une seule seconde. On dirait qu'on fait ça depuis toujours. J'y crois pas une seule seconde.

— T'as dit qu'on allait où ?

— Marseille. C'est plein de garçons.

Nadine entre une cassette dans l'autoradio.

*Come on, get in the car. Let's go for a ride somewhere. You make me feel so good. You make me feel so crazy.*

Manu ne se calme résolument pas, elle se tortille sur son siège et parle sans arrêt :

— T'as vu, ça fait comme dans les jeux vidéo, quand t'en es au tableau mortel dur. T'as des envahisseurs de partout et tu les corriges tous, t'es trop forte, quoi. Ce coup-là, il était risqué. Ça fait son charme. Un gamin, c'est abuser. Franchement, je l'aurais pas fait. Mais t'as eu raison : faut abuser. Faut acheter à boire aussi. Il fait grande soif à cette heure. Bon, mais je te préviens tout de suite : on va s'arrêter dans une épicerie arabe et je veux pas de carnage chez les Arabes. T'as pas de principes, toi, tu veux tirer sur tout le monde.

— Je m'en fous des Arabes. Je croyais qu'il fallait abuser.

— Faut abuser. Mais faut pas abuser tout le temps. Y a un équilibre savant à trouver.

— Tu me fatigues avec tes Arabes. T'aurais pu faire quelque chose de ta vie. Style éduc ou assistante sociale, t'as du bon sentiment en stock.

— Ils m'auraient laissée faire, moi j'aurais fait du bien à tout le monde. À la base, je suis du style à faire passer Mère Teresa pour une grosse salope. Mais ces gens sont trop faibles, ils sont nuisibles, y a pas moyen de leur faire du bien. Ça grappille, ça se laisse aller, ça se plaint tout le temps. C'est chiant. Et surtout, ils ont pas de valeurs. Je peux rien faire pour eux.

Pour dire quelque chose, Nadine commente :

— Savent pas ce qu'ils perdent.

Et la petite reprend :

— Putain c'que j'ai soif, moi. J'en reviens pas de ce que t'as fait. J'allais partir aux chiottes, me vider un peu l'estomac en me faisant gerber, peinarde, pour pouvoir reprendre des gâteaux... Ils étaient bons ces gâteaux, vraiment, on aurait dû penser à en prendre, on déconne. T'as sorti ton flingue, et j'ai tout de suite fait feu, sans réfléchir. De la haute voltige, y a pas. Ça, c'est du baptême, grosse, t'auras pas fait les choses à moitié.

Elle sort des morceaux de chocolat de la poche de son blouson, du bout des doigts ôte les petits fils qui se sont collés dessus. Elle en propose à Nadine.

Au volant, la grande se sent infiniment calme. Elle roule trop vite et conduit bien. La petite a raison, elles font ça vraiment bien toutes les deux.

*Angels are dreaming of you.*

La sensation de bouffer personnellement la route, une seule bouchée. Elle réfléchit à voix haute :

— Ils vont être contents demain à l'hôtel. Du sang, des flingues et un walkman.

— Pourront convoquer la presse, vont pouvoir se masturber un peu la bande à écriveurs de nazeries. Je parie que ces connards de flics cogitent sur nos moindres mégots de clopes. Putain, vivement demain qu'on lise ça !

— J'comprends pas que tu lises ça, moi ça m'énerve trop.

— Tu prends tout trop au sérieux, toi, t'aimes bien te torturer, alors tous les prétextes sont bons. Moi, rien que d'imaginer les gens du quartier en train de lire ça, je suis morte de rire. J'y retournerais bien faire un tour, leur taper sur l'épaule : « Alors les kids, les soucis quotidiens, ça se passe comment ? Toujours aussi triste ? »

— Tu veux qu'on y aille ?

— Non. Je veux plus jamais aller là-bas.

## 17

Elles roulent assez longtemps, croisent un mec en train de pisser dans un champ. Balle dans le genou, balle dans la nuque. Changement de voiture, au cas où…

Elles discutent pour savoir si elles seront recherchées par hélicoptère, comment ils peuvent organiser le truc. Nadine fouille dans son sac et dans ses poches sans quitter la route des yeux :

— Merde, j'ai oublié ma cassette dans l'autre voiture, quelle conne !

— Ça fera grosse promo au groupe.

— Ils n'ont pas besoin de moi, merde, quelle conne !

— Y a pas d'autoradio dans cette voiture, tu t'en fous.

Elle change de ton :

— C'est un camion de flics. Putain, c'est un putain de camion de flics, c'est sûrement un barrage, quelle putain de route !

Manu parle vraiment vite, mais calmement. La route est à peine éclairée, Nadine fronce les yeux. À quelques mètres, un camion de flics est effectivement garé sur le bas-côté. Familière sensation du coup au cœur. Avec le temps, on y prend goût. « Nous y voilà. »

Manu articule tranquillement, c'est la première fois qu'elle est aussi posée :

— Dès que ça déconne, tu fonces. Moi, je tire. Tout ce qui bouge. T'oublie pas qu'on est une équipe hors pair. On essaie de passer. Au moins, on leur fout un bordel sans précédent. Mais on se rend pas.

Elles arrivent à hauteur de la camionnette. Du coin de l'œil, Nadine capte que Manu sourit méchamment. Elle prend sa main dans la sienne, elle a honte de son geste en même temps qu'elle le fait. Sauf que Manu mélange tout de suite ses doigts aux siens, et tient sa paume serrée à en faire péter les articulations. Nouées, crispées l'une dans l'autre. Invincibles, même si elles n'ont pas une seule chance.

Elles dépassent la fourgonnette. Il n'y a personne à l'intérieur. Nadine comprend très précisément le sens de l'expression : « son cœur va sortir de sa poitrine ». Et décidément, elle ne déteste pas ça. Elle a confusément envie qu'ils barrent le passage. Pour jouer la partie, tenter le coup.

Quelques mètres plus loin, les phares éclairent deux flics en train de fouiller une fille contre un mur. Manu articule entre ses dents :

— J'y crois pas une seule seconde. Rien à voir avec nous.

Au moment où elles arrivent à leur hauteur, la fille met une tête à l'un des deux flics, il recule de quelques pas, elle se barre en courant, l'autre flic a porté la main à son ceinturon. Manu hurle : « Arrête-toi », et la voiture fait du bruit en dérapant un peu sous le brusque coup de freins. Manu tire jusqu'à ce que les flics tombent, ils n'ont même pas le temps de riposter. Puis calmement, marche sur eux et leur colle quelques balles en prime chacun, en grommelant : « On est jamais trop prudent. »

La fille s'est arrêtée de courir. Elle est immobile à quelques mètres de là. Elle réfléchit un instant puis revient sur ses pas, sans se presser.

Stan Smith et bomber noir, les cheveux très longs et brillants, dans le noir. Rien que sa façon de marcher en impose. Crédible d'entrée de jeu dans son rôle d'amazone urbaine.

Retourne le premier corps sur le dos du bout du pied. Puis shoote dans la tête comme au foot en prenant un peu d'élan. Elle regarde l'autre corps, attentivement. Puis la voiture et seulement alors lève les yeux sur Manu. Elle déclare : « J'en ai jamais vu des morts » en montrant les deux flics. Elle ne fait aucun effort visible pour rester calme. La ligne de démarcation entre ce qui se passe dans son crâne et ce qui se voit sur sa face semble solidement dessinée. L'occasion n'est pas assez exceptionnelle pour qu'elle se laisse aller.

Manu sourit, se penche sur le flic

— Ça fait toujours plaisir d'en refroidir.

Elle fait un signe du menton pour désigner Nadine avant d'ajouter :

— Elle, elle trouve que c'est tous du pareil au même. Moi, j'ai toujours une spéciale dédicace pour les flics.

Nadine est restée dans la voiture. Elle scrute le visage de la fille, qui ne lui a pas jeté un seul coup d'œil. Les traits singulièrement réguliers, une allure de princesse. De l'élégance innée. Elle dit : « J'étais justement en train de faire une connerie. » Le ton est aussi neutre que possible.

Manu sort son paquet de clopes, en propose une à la fille, puis se rapproche d'elle pour lui donner du feu. Ça ressemble à un cérémonial, une prise de contact aux codes bien établis. La fille remonte la fermeture de son blouson, dit :

— J'habite pas très loin d'ici, avec mon petit frère. Un coin tranquille. Vous avez peut-être besoin de passer la nuit quelque part.

Manu se retourne vers Nadine, se penche à sa portière, demande :

— Qu'est-ce que tu en dis ?

— C'est parfait pour moi.

La fille s'est éloignée de quelques pas, elle fume sa clope en regardant la route, les laisse délibérer tranquilles. Nadine ajoute :

— C'est pas que le coin soit très fréquenté, mais ce serait quand même plus raisonnable d'y aller tout de suite.

Et comme Manu marque un temps d'hésitation, comme si elle voulait dire quelque chose, et que, pour une fois, elle se demande comment le formuler, Nadine la rassure sèchement :

— J'ai bien compris qu'on tirait pas sur les Rebeus. Et a priori encore moins sur celle-là que sur une autre.

Manu secoue la tête et rigole :

— Le prends pas mal, grosse, mais t'abuses tellement facilement que je préférais tirer ça au clair.

Elle appelle la fille :

— Je m'appelle Manu ; elle, c'est Nadine. On éviterait très volontiers l'hôtel ce soir. Mais tu peux vraiment te mettre dans la merde en nous hébergeant.

— Moi, c'est Fatima. Chez moi, c'est tout droit par là-bas.

Elle inspire le respect, implicitement. Nadine la dévisage dans le rétroviseur. À sa connaissance, aucune fille ne l'avait jamais jouée aussi dure et distante, du moins sans être ridicule. Elle cherche quelque chose à lui dire, puis décide de lui foutre la paix.

Manu déchire l'emballage d'une barre de Mars, la partage en morceaux et propose de la bouillie de chocolat aux deux autres. Comme elles refusent, la petite s'enfonce tout ça dans la bouche et mastique bruyamment. Ça n'a pas l'air de changer quoi que ce soit pour elle, qu'elles soient trois. Elle déclare pensivement :

— Moi et ma copine, on a bien cru que la fourgonnette était pour nous. J'ai eu peur à m'en faire péter les tripes. Putain, quelle chance on a, on est en train de rattraper toute une vie en quelques jours… Moi et ma copine, à tous les coups on gagne, c'est assez incroyable ce qui nous arrive.

Elle s'enfonce dans son siège et contemple la route en silence, arborant son sourire le plus stupide et satisfait. Nadine trouve une grimace dans le même registre, ce qu'elle a de plus proche du parfait contentement.

Puis Fatima prévient :

— Il faut prendre à gauche au prochain croisement.

Manu déclare en se grattant frénétiquement la tête :

— On peut pas se garer en bas de chez toi. Enfin, on peut, mais ça ne serait guère raisonnable. Ce qui le serait plus, c'est de s'arrêter quelque part et de brûler cette caisse.

— Y a un garage à la maison, mon frère a l'habitude de désosser les caisses, il vaudrait mieux qu'il s'en occupe.

Nadine l'a vue sourire quand Manu a parlé de faire exploser la caisse. De sa part, ce sourire fugace passe pour une franche explosion de joie.

Elle ne se lasse pas de l'observer dans le rétroviseur. Et, pour la première fois de sa vie, Nadine compatit avec ces garçons qui tombent amoureux fous d'une fille juste à cause de ses yeux.

Elle se répète que c'est ridicule, que cette fille est peut-être la dernière des connes, coincée dans une belle carapace. Rien n'y fait. *Could you be the most beautiful girl in the world ?*

Elles stationnent devant une grosse maison grise, effectivement isolée au bord d'un chemin désert. Pas le genre de maison qu'on habite quand on est jeune. Fatima descend ouvrir la porte du garage. Nadine dit :

— Elle est hyper drôle la nouvelle.

— Ouais, encore une boute-en-train. Ce qui serait bien, c'est qu'ils soient pas muslims et qu'il y ait à boire et à fumer chez eux. Sérieux, comme j'ai soif !

## 18

Sur les murs du garage, les étagères sont
encombrées de moteurs, d'autoradios, d'appareils photo, de magnétoscopes… Deux caisses
de guitares et un ampli sont relégués dans un
coin, à côté d'un scooter, d'un Mountain Bike
et d'une moto partiellement désossée. Une fois
les portes verrouillées, Fatima s'humanise sen-
siblement. Elle explique à Manu :

— C'est mon petit frère. Comme on a de la
place, il fait dans la refourgue.

La petite regarde autour d'elle ; en fait, les
appareils sont classés par genre, il y a un rayon
audio, un rayon son, un coin deux-roues. Elle la
joue connaisseuse et admirative :

— Putain, c'est un vrai chef magasinier, ton
petit frère !

La réplique a les répercussions d'un « Sésame
ouvre-toi ! », Fatima y va d'un petit rire bref et
grave, visiblement contente qu'elle reconnaisse

les talents d'organisation du petit frère. Elle explique :

— Il est malin. Et puis, il ne fera pas ça trop longtemps, il ne va pas attendre d'avoir des ennuis pour changer de secteur. Pour le moment, ça nous sert bien ; en plus, on s'équipe au passage. On ne manque de rien. Mais c'est juste en attendant.

— En attendant quoi ? Vous allez faire le casse du siècle et vous barrer en Australie ?

Fatima ne décèle aucune ironie dans la question, elle développe :

— On va à Los Angeles. Tu te fais attraper quand tu ne fais plus attention. Si tu restes trop longtemps dans le même business. Ou si tu veux trop flamber. Ce qu'il faut, c'est un but atteignable et s'y tenir. En attendant, faut fermer sa gueule et ouvrir l'œil. Saisir la bonne opportunité et puis ciao, tu recommences ta vie ailleurs. Tu fais fructifier le capital, tu fais dans la magouille légale. Tu profites de la vie, quoi…

Comme elle ne fait pas du tout attention à elle, Nadine peut l'observer autant qu'elle le veut. Elle a entendu dire ça des dizaines de fois, des petits truands exposer des théories implacables. Et, chaque fois, elle était prête à parier qu'ils rejoindraient leurs petits camarades au zonzon dans l'année. Mais Fatima laisse peu de chance au doute. Elle peut répéter une réplique entendue cent fois, elle a juste le ton qu'il faut pour qu'on l'entende différemment. La classe du personnage. Manu se permet toutefois l'ombre d'un doute :

— Sans vouloir te froisser, tu m'avais pas l'air de faire trop attention quand on t'a rencontrée.

— Justement. Moi, j'ai voulu m'y remettre sans réfléchir suffisamment. Et puisque le ciel m'octroie une seconde chance, je vais faire marcher mon crâne à l'avenir.

— Ils t'embarquaient pour quoi ?

— Du shit sur moi, à peine une savonnette. Ces fils de pute avaient même pas le droit de me fouiller... Je viens juste de sortir, j'y retournais aussi sec. Tu as déjà fait de la prison ?

— Non.

— Depuis que je suis sortie, je me tiens bien, rangée et tout. Je cherche du travail bien sérieusement, je sors pas, je me tiens à l'écart de mes anciennes fréquentations. C'est la première fois que je voulais revendre un peu, histoire de régler les problèmes urgents. Que mon frère soit pas toujours obligé de s'occuper de tout. J'étais trop dégoûtée quand ils m'ont contrôlée. J'avais loupé le dernier bus, je marchais tranquille au bord de la route. Ils se sont arrêtés, papiers et tout le bordel. Je voulais pas les laisser me fouiller, moi, des mecs ils ont pas le droit. Ils ont dit qu'ils m'emmenaient, ça a discuté. Quand l'autre connard a mis la main sur la sav, je lui ai collé un coup de boule et vous êtes arrivées. À point.

Nadine marmonne discrètement à l'oreille de la petite :

— Depuis le temps que tu voulais servir une cause…

Elle commence à prendre ombrage de ce que Fatima ne l'ait pas regardée une seule fois. Manu lui tape gentiment sur l'épaule :

— Tu vas pas nous faire un caprice parce que tu fais tapisserie. T'as qu'à mettre ton walkman pendant qu'on cause entre grandes.

Elle lui ricane sous le nez, la main toujours posée sur son épaule. Nadine passe la première dans les escaliers par où Fatima a disparu. Elles chahutent à moitié en montant, pouffent de rire, comme des merdeuses dans les toilettes d'une boum.

## 19

La maison est grande. Rien n'est accroché au mur, rien ne traîne. Intérieur figé, parfaitement ordonné. Meubles imposants, énormes et sobres. Pas un intérieur de jeunes gens, rien de futile là-dedans. Pourtant, l'implacable rigueur de l'endroit n'a rien de pesant. On s'y sent plutôt solidement accueilli, protégé.

Fatima prépare du café, demande si elles veulent manger. Elle s'affaire comme une femme, comme une maman. Gestes précis, maintes fois répétés. Elle demande à Manu si elle sait rouler, pose un bloc de shit sur la table, du papier et des Camel. Elle ignore toujours aussi scrupuleusement Nadine.

Elle s'assoit avec elles, tire de grandes bouffées sur le joint, retient longtemps la fumée. Puis rompt le silence :

— Vous aviez tué des gens avant ?

— Ça nous est arrivé quelquefois, oui.

— Un coup qui a mal tourné ?

— Du tout. Un jour, au lieu de me mettre le compte, j'ai tiré dans la tête à un mec. Après on s'est rencontrées, on a eu bonne influence l'une sur l'autre.

Nadine intervient, résolue à s'imposer comme un personnage parlant :

— En fait, c'est un peu tous les coups qu'ont mal tourné. Tous ces trucs que tu tentes de faire et jamais rien ne réussit. Ça me fait penser au conte de la petite sirène. L'impression d'avoir consenti un énorme sacrifice pour avoir des jambes et te mêler aux autres. Et chaque pas est une douleur intolérable. Ce que les autres font avec une facilité déconcertante te demande des efforts incroyables. Arrive un moment où tu lâches l'affaire.

Nadine sourit comme pour s'excuser d'avoir parlé aussi longtemps. Regarde Fatima à la dérobée et avec appréhension. Elle a l'impression qu'elle a compris qu'elle disait tout ça surtout pour lui montrer qu'elle était là. Manu fait déborder le cendrier en écrasant le pétard consumé jusqu'au carton. Elle ajoute :

— Pour les règles, en fait, ça change rien, c'est toujours au premier qui dégomme l'autre. Sauf que là on est passées du bon côté du gun. La différence est considérable.

Un garçon entre dans la cuisine, sans qu'elles l'aient entendu arriver. Il est grand, le crâne rasé, aussi fermé que sa sœur à première approche. Il leur adresse un léger signe de tête quand Fatima les présente. Puis se sert un café sans faire attention à elles. S'assoit à la table et roule un nouveau spliff, sans ouvrir la bouche.

— C'est Tarek, mon petit frère.

Elle lui parle en arabe, il écoute sans répondre, sans relever la tête, sans même sourciller. Elle finit en français :

— Alors, je leur ai dit qu'elles pouvaient dormir ici. D'ailleurs, si vous avez besoin de rester un peu, c'est une bonne planque et vous dérangez pas. Tarek, file-moi les clés du scooter, je vais aller à l'épicier acheter du Coca et à manger.

En lui tendant les clés, il demande si elle est sûre que les flics n'ont pas eu le temps de relever son identité. Elle lui demande s'il la prend pour une conne. Ça clôt le débat, elle se tire.

Les yeux du garçon sont clairs, enfoncés dans les orbites et les sourcils épais et fournis. Ça donne au moindre de ses regards une intensité toute particulière. Une tension de guerrier qui observe le village adverse en se demandant s'il le fait cramer.

Il fait tourner le biz, puis demande :

— Vous venez de Quimper ?

— On y était il y a peu, oui.

Il se plonge dans ses réflexions. Manu fait une grimace et s'enquiert :

— Ça te fait chier qu'on soit chez toi ?

Il fait non de la tête, se lève et sort de la cuisine. Puis revient sur ses pas, s'appuie dans l'embrasure de la porte :

— Fatima m'a dit qu'il fallait s'occuper de la caisse. Je vais m'en occuper tout de suite.

— Tu vas la découper en petits morceaux ?

— Non, mais je vais faire le nécessaire.

— Tu veux qu'on t'aide ?

— Non.

Apparemment, il est revenu sur ses pas pour bien les regarder. Il les scrute attentivement, comme considérant que ça n'a rien de gênant pour elles. Puis il dit :

— Vous n'avez pas l'air très angoissées pour des filles en cavale.

Manu répond :

— C'est parce qu'on manque d'imagination.

La réponse lui arrache un sourire.

— Tu flambes. Mais n'importe qui a peur de mourir. Ou de finir sa vie en taule. Même les plus désespérés.

Il se tape la poitrine :

— C'est là que ça se tient, personne échappe
à ça.

— Le moment venu, on aura sûrement peur.
Pour le moment, le café est bon et le spliff tue
la tête, quoi demander de plus ? Pis on est deux,
ça change des trucs, on se distrait quoi.

Il secoue la tête. Cette fois, il est très solen-
nel, quelque chose qu'il est au regret d'avoir à
signaler :

— Je veux pas juger parce que je connais pas
l'histoire. À la télé, ils ont dit que vous aviez tiré
sur une femme et sur un père de famille, pour
rien du tout.

— Tu trouverais ça plus moral si on cherchait de l'argent ? On a aucune circonstance
atténuante, t'en sais assez pour juger.

— J'ai du mal à croire que c'est de vous
qu'il s'agit ; je vous aurais croisées dans le bus,
je n'aurais pas tiqué.

Manu hoche la tête :

— C'est ça la ruse ultime, c'est comme ça
qu'on s'en tire. Si tu regardes la télé ce soir, ils
vont raconter de nouveaux trucs. On a tiré sur un
gamin, je sais, c'est pas très populaire. Alors, si
ça te pose problème et que tu veux qu'on trisse,
tu le dis avant de toucher à la caisse.

Il répond sans hésiter, d'un ton dénué de sym-
pathie ou d'animosité :

— Fatima vous a invitées. Vous êtes les bienvenues.

Il sort. Elles restent l'une en face de l'autre et prennent conscience de ce qu'elles sont très raides, le shit est bon. Puis Nadine baisse la tête, secouée d'un fou rire. Elle explique :

— Ils sont bien sympathiques, mais ils mettent trop la pression ces deux-là...

Manu se met à son aise, s'affale sur sa chaise et écarte amplement les cuisses. Elle porte une petite culotte en satin rouge et on lui voit les poils qui dépassent en boucles sur le côté. Elle commente :

— Le petit frère, y a pas moyen de l'attraper, il est trop farouche. Dommage.

— Tu peux quand même tenter le coup... Demande-leur, mine de rien : « Quand est-ce qu'on baise là-dedans ? »

Elles font un effort pour arrêter de rire lorsqu'elles entendent Fatima revenir.

Elles ouvrent la bouteille de vodka qu'elle rapporte, parce qu'il n'y avait pas de whisky là où elle est allée.

Il y a des robots dessinés sur les verres, Manu les regarde en silence. La grande joue à étaler du bout du doigt une tache de jus de fruit. Elle dit :

— Il fait penser à un prince ton petit frère. Brillant comme le diamant. Un peu sec avec nous, j'espère qu'on dérange pas.

Décidément loquace dès qu'il s'agit de son frère, Fatima se résout à lui adresser la parole :

— C'est un seigneur, il est vraiment plus malin que les autres, je dis pas ça parce que c'est mon frère. C'est un observateur, il a bien fait attention à ce qui arrivait autour de lui et il a cherché pourquoi ça se passait comme ça. Il a bien compris ce qui s'était passé pour moi, pour mon père ou mon autre frère. Et il fera pas pareil. Pas qu'il nous méprise, mais il a su tirer les leçons de nos aventures.

— Vous avez quand même pas tous fait du zonzon ?

— Tous les trois, si. Mon grand frère, il est pas près de sortir. Un braquage pourri qui a dégénéré. Il est tombé pour meurtre, c'est même pas lui qui a tiré.

— Et ton père ?

— Mort là-bas, à peine arrivé. C'était pas un violent, mon père, c'était pas un dur non plus. Ils l'ont massacré d'entrée de jeu, même pas eu le temps de visiter sa cellule.

— Il est tombé pour quoi ?

Fatima marque un temps d'hésitation, juste assez long pour être perceptible :

— Pour inceste. Ça s'est su parce que je suis tombée enceinte. J'en parlais jamais. Pas que j'avais peur ou honte. Mais je savais qu'il valait mieux pas. J'avais treize ans quand ils l'ont arrêté. Personne m'a écoutée. Ils sont comme ça, ils savent mieux que toi ce qui se passe chez toi. J'ai avorté, je me souviens pas l'avoir demandé. Ça coulait de source pour eux, alors mon avis... Ils m'ont récurée le jour où mon père est mort. Une coïncidence pas innocente. Ça m'a semblé étrange. D'autant que j'avais le droit d'avoir de la peine, mais pas comme ça me venait. Y a des trucs que j'étais pas là pour regretter, ils me l'ont fait clairement comprendre.

Elle parle bas, le débit est extrêmement calme et régulier. Monocorde et grave, intimiste et pudique. Cela atténue la brutalité du propos sans l'édulcorer. Il y a comme du métal perceptible juste derrière ce ton monocorde et grave. Quand elle parle, elle garde les yeux baissés la majeure partie du temps, puis relève la tête et plonge son regard dans celui de son interlocutrice. Elle est attentive, comme habile à lire l'âme de l'autre, capable d'y déceler la moindre grimace de dégoût ou la ruse la plus vile. Sans juger, sans s'en étonner. Prête à tout voir chez ses semblables. Elle ressemble à une souveraine particulièrement éprouvée mais qui n'aurait retiré de la douleur qu'une immense sagesse en même temps qu'une implacable force. Une majestueuse résignation, sans trace d'aigreur.

Elle se confie à elles avec assurance. Montrant par là qu'elle choisit de leur faire confiance. Et aussi qu'elle n'a rien à craindre.

Nadine cherche quoi dire qui soit digne de cette déclaration. Manu s'embarrasse moins, elle remplit les verres, commente sans l'ombre d'une gêne :

— Ben au moins, quand tu causes, tu fais pas semblant. Tu le faisais depuis longtemps avec ton père ?

— Je devais avoir onze ans au début, je sais plus. Ma mère est partie juste après avoir eu Tarek. On n'a jamais bien su pourquoi, ni où elle est allée. Moi et mon père, on était tout le temps ensemble, ça s'est fait tout seul, tout doucement. Je crois que c'est moi qui suis venue sur lui. Je sais que j'en avais vraiment envie, je me souviens que ça m'a manqué longtemps. Et puis quand j'ai été enceinte, le médecin que je suis allée voir m'a embrouillée. Il m'a dit qu'il était tenu de je ne sais quel secret, il m'a endormie quoi. Je lui ai tout raconté, il s'est mêlé de nos affaires. J'imagine qu'il n'avait rien de mieux à foutre.

Elle s'interrompt pour lécher les feuilles, faire son collage et tasser le spliff. Puis elle explique :

— C'est pour ça que je m'en carre que vous ayez tué des gens, des gens que vous connaissiez même pas. Des innocents. Je les connais, les innocents.

Manu déchire le papier mauve de l'emballage d'une plaque de chocolat. Elle vide son verre et déclare :

— Le pire chez nos contemporains, c'est pas qu'ils aient l'esprit aussi étroit, c'est cette tendance à vouloir ratiboiser celui du voisin. Qu'il y en ait pas qui rigolent trop, sinon ça les embrouille. Tu la racontes souvent ta petite histoire ?

— Non. Je parle pas beaucoup depuis, j'ai compris la leçon. Faut dire aussi que je rencontre rarement des tueuses de flics.

Nadine profite de ce que l'atmosphère prête à la confidence pour demander :

— Et avec les autres garçons, c'est comment ?

— Jamais fait ça avec un autre garçon. Jamais eu envie.

Manu se renverse sur sa chaise, décrète solennellement :

— Putain, c'que ça doit être chouette de faire ça avec son père !

Fatima se rétracte d'un coup. Son visage se ferme et elle ne répond rien. Manu se penche vers elle, souffle bruyamment et ajoute :

— Putain, tu verrais mon père tu comprendrais que ça me fasse délirer ton histoire. Je me souviens même pas d'une seule fois où ce connard m'ait embrassée. Ce fils de pute m'appelait Emmanuelle. Je me suis toujours appelée Manuelle, mais ça l'intéressait tellement qu'il avait oublié. C'était la fin du monde à lui tout seul, cet homme. Le mari de ma mère, quoi. Ma mère, même si t'aimes les chèvres, t'as pas envie de l'enfiler, elle est trop conne, vraiment. Pis prise de tête. Alors des petites filles amoureuses de leur papa, ça me fait délirer.

Elle regarde Fatima, remplit les trois verres et conclut :

— Moi, j'ai plus que du temps précieux, alors je peux pas me permettre de le gâcher en calculs diplomatiques.

Court moment de silence, Fatima se redétend et demande :

— Vous avez une chance de vous en tirer ?

— On a une chance de passer la nuit, vu que si on était repérées, on le saurait sans doute déjà. Après, c'est dur à calculer, je crois qu'il y a une grosse part de hasard là-dedans.

— Pourquoi vous n'essayez pas de sortir du pays ?

— Trop chiant. Si t'essaies un truc, t'as le risque de te planter ; nous, on est plutôt sur la ligne « quand t'as mal au pouce, coupe-toi le bras ». Et puis qu'est-ce que tu veux qu'on aille foutre ailleurs ?

Nadine déclare pensivement :

— Ailleurs, moi j'y crois pas.

La petite siffle admirativement :

— Mais t'es déjà toute raide, grosse.

Fatima insiste :

— Mais on peut pas se laisser crever comme ça. Sans colère, comme ça. On peut pas.

— Ton frère aussi bloquait là-dessus, répond Manu. Vous devez faire partie d'une race de combattants. Y a plein de trucs, on croit pas qu'on peut les supporter. Pis finalement on s'y fait bien. Moi, j'ai jamais autant rigolé, c'est clair.

Nadine enchaîne :

— Pis ça fait deux trucs distincts, y a toi et y a l'idée que tu vas te faire attraper. Mais c'est dur à réaliser. Des fois, j'essaie de réfléchir, à quoi je penserais juste à ce moment-là.

Manu éclate de rire :

— Je suis sûre que ça va être une mortelle connerie. Genre tu vas te souvenir d'un truc tout perrav, style la fois où t'as manqué ton bus et t'es rentrée à pied, un pauvre souvenir, quoi. T'as les tripes qui dégoulinent sur le trottoir et tu penses à la lessive que t'as laissée avant de partir. Enfin, on verra bien, mais moi c'est l'idée que j'm'en fais.

— Si vous changez d'avis, si vous voulez tenter votre chance, j'ai un plan pour vous. Pas très loin d'ici. Un architecte chez qui j'ai travaillé, j'y faisais des ménages. Il vit tout seul, il suffit de le forcer à ouvrir son coffre. Et avec ce qu'il y a dedans, vous pouvez partir faire un tour où ça vous amuse.

— Pourquoi tu le fais pas, toi ?

— Moi, il me connaît et je veux pas y envoyer Tarek. Si ça peut vous servir, je vous explique le plan. C'est con que ça profite à personne. Ce coffre est bourré de diamants. Pis c'est con que vous tentiez pas un truc sérieux, vous n'avez rien à perdre.

Manu proteste énergiquement :

— On a rien à perdre, c'est vite dit. Et notre quiétude d'âme, qu'est-ce que t'en fais ?

Nadine renchérit :

— On fait pas ce genre de truc. Nous, on est plus dans le mauvais goût pour le mauvais goût, tu vois… Mais c'est cool de ta part de nous en parler.

— Ouais, putain, c'est chouette de ta part, carrément. Mais t'en as déjà bien assez fait pour nous, sérieux, on a besoin de rien d'autre.

## 20

Elles ont passé plusieurs heures assises à la table. Nadine jette les emballages froissés et les boîtes vides dans un sac plastique. Puis, du bout de l'ongle, gratte une tache. Cendriers débordant de filtres en carton, écrasés en accordéon. Manu y laisse invariablement du rouge, elle sort régulièrement son tube et se repeint les lèvres ; maintenant qu'elle est raide, elle déborde même un peu. Quand elle parle ou quand elle éclate de rire, ça fait blessure animée au milieu du visage blafard, balafre rouge sang se détend, se déforme. En rire, en insulte, en protestation énergique. On ne lui voit que la bouche, toujours en mouvement. Et les ongles s'agitent autour, attrapent l'œil et l'amusent, taches rouges papillonnantes, cerclées de crasse noire.

Quand Tarek s'est joint à elles, Fatima le guettait furtivement, appréhendait sa réaction. Au début, il évitait de s'adresser directement aux deux étrangères. Puis progressivement, il s'est laissé aller. Il n'aime pas les gens qui boivent, mais il a juste souri quand il a capté dans quel état elles s'étaient mises. Il est resté là, bien plus tard qu'il ne l'avait initialement prévu, à son tour pris au manège rouge de Manu. Ce qu'elle fait n'a jamais l'air sérieux. Sauf que c'est un vrai flingue qu'elle a sorti face aux flics, avec des balles bien brûlantes pour le fond de leur ventre. Fatima ne l'a pas vue tirer parce qu'elle courait. Confusément, elle imagine les balles sortir de sa bouche, d'autant plus clairement qu'elle a beaucoup fumé. En même temps qu'elle éclate de rire, la petite crache des balles, tue des hommes pour de vrai.

Nadine est plus en retrait, au début sa tête ne revenait vraiment pas à Fatima. Elle regarde beaucoup trop, elle pense sans se prononcer. Manu exhibe tout ce qui lui passe par la tête, Nadine tient compte du jugement d'autrui, et choisit de dissimuler ce qui lui semble indicible. Fatima la soupçonne de cacher des choses hideuses. Quelqu'un qui aurait mal supporté l'humiliation, tout en restant très doux en surface. Double face. Elle a gardé un ton poli, de bonnes manières. Elle parle souvent comme une jeune fille, elle trompe son monde. Qui se méfierait de cette grande femme un peu terne, presque niaise ? Fatima n'ose pas leur demander si elles couchent ensemble. C'est à ça qu'on pense quand on les voit. Elles ne se touchent jamais mais gardent un œil l'une sur l'autre, se cherchent à tout instant. Quand elles rient, c'est toujours de la même chose, et leurs corps se rapprochent souvent. Quand l'une allume une clope, elle en tend une à sa comparse, sans même s'interrompre, naturellement. Elles se coupent la parole sans arrêt, ou plutôt elles parlent à deux. Elles remplissent toujours les deux verres. Sans s'en rendre compte. Elles ont les mêmes mots, les mêmes expressions. De la connivence presque tangible. Elles ressemblent à une bête à deux têtes, séduisante au bout du compte. Fatima a du mal à imaginer qu'elles ne se connaissent que depuis une semaine. Elle aurait du mal à les dissocier, les imaginer l'une sans l'autre.

Le soleil se lève quand Fatima dit qu'elle va se coucher. Nadine prend les verres sur la table et les empile sur l'évier, vide un cendrier et passe l'éponge sur la table. Les autres la regardent faire. Elle rince l'éponge et la pose sur le bord de l'évier, et s'essuyant les mains, toujours de dos, elle dit :

— Le plan des diams dont tu nous as parlé, si tu veux, on peut le faire. Si vraiment il suffit de rentrer chez ce type et de lui faire ouvrir ce coffre, nous, ça nous coûte rien.

Elle passe la main dans ses cheveux, attend sans doute que la petite dise son mot sur la question et comme rien ne vient, elle enchaîne :

— On s'ajoute une victime au tableau, on te file les diams, tu te débrouilles. Nous, ça nous retarde sur rien vu qu'on a rien à faire. Toi, ça t'évite d'aller faire la conne entre deux flics. En échange, tu vas au rendez-vous à la gare de Nancy, je sais que je peux te faire confiance. Et pour nous, c'est risqué d'attendre plusieurs jours dans une gare. Comme ça, ça arrange tout le monde.

Manu va vers elle, elle a du mal à faire les quelques pas qu'il faut pour la rejoindre parce qu'elle s'est vraiment mis le compte et, quand elle parle, on la comprend mal, mais elle y met beaucoup de conviction :

— Ça, c'est une chouette idée. On va aller chercher les diams. Toi, t'iras à Nancy. C'est tellement chouette, j'aurais pu y penser moi-même.

Nadine la pousse et, comme l'autre ne tient plus bien debout, elle s'écrase sur la table. La grande la relève et la tient par la taille.

Fatima dit :

— Il n'y a aucune raison pour que vous fassiez ça.

Manu proteste, exagère sur la véhémence :

— Ouais, mais il n'y avait aucune raison pour que tu nous donnes ce plan, il n'y avait aucune raison pour qu'on assassine les méchants policiers, ni pour que tu nous ramènes. Les bonnes raisons ne font pas les meilleures actions, alors on va y aller. Mais tout de suite, on va dormir et on discutera demain.

Fatima réfléchit. Elle n'a pas à accepter. Si elle refuse, elle ne les reverra jamais. Elle entendra parler d'elles un moment à la télé, jusqu'au jour où elles se feront abattre. Peut-être à ce rendez-vous dans une gare. Elle leur demande :

— Pourquoi vous teniez tellement à ce rendez-vous, vous avez dit que vous ne connaissiez pas vraiment cette fille ?

Manu s'indigne avec une tonitruante grandi-loquence :

— Et quoi encore, tu veux pas qu'on aille se rendre au commissariat le plus proche aussi ? On a promis, on t'a dit, on a promis à Francis. Je croyais que t'étais le genre de fille à comprendre que ça se discute pas.

Fatima n'insiste donc pas, tout en se souvenant que Manu n'a jamais rencontré ce Francis.

Elles secouent la tête d'un air navré, prennent des airs désolés, se regardent faire mutuelle-ment et se trouvent très drôles l'une l'autre. Elles

216

rient en montrant leurs dents, qu'elles ont l'une comme l'autre fort abîmées.

Fatima sait que, de toute façon, elles ne changeront pas d'avis. Elles iront à ce rendez-vous si elle n'y va pas. Même s'il est suicidaire de rester plusieurs jours dans une même gare. Même si elles y sont attendues par un cortège de flics. Elles iront. Parce qu'elles ont ça dans le crâne.

Fatima décide qu'elle acceptera le deal. De toute façon, l'idée de les quitter définitivement dans quelques heures lui déplaît foncièrement.

Tarek et elle sortent. Elles restent un moment dans la cuisine, à rigoler l'une contre l'autre.

En sortant, Fatima remarque pour elle-même : « C'est sûr qu'elles ne couchent pas ensemble. Parce que c'est ce qu'elles ont trouvé de mieux pour se dire qu'elles sont sœurs. »

## 21

Installée à la table de la cuisine, Manu attend que sa teinture prenne en même temps qu'elle fulmine à la lecture des journaux que Tarek a rapportés ce matin.

Il a refusé d'acheter à boire, parce qu'elles viennent de se lever et qu'elles peuvent bien attendre un peu avant de se saouler. Manu l'appelle « papa » chaque fois qu'elle en a l'occasion.

Sur un coin de table, Fatima dessine un plan de la maison de l'architecte, recommence plusieurs fois parce qu'elle oublie toujours quelque chose. Interrompt Manu à maintes reprises pour lui donner des explications supplémentaires ou de nouvelles recommandations. Manu l'appelle « maman » chaque fois qu'elle en a l'occasion.

Nadine reste dans la salle de bains à s'épiler les sourcils, elle est intimement convaincue que c'est un point de détail crucial et qui va la transformer radicalement. Elle corrige celui de gauche pour qu'il ressemble à celui de droite. Et inversement. Puis passe un coup de rasoir sur ce qu'il en reste.

Elle entreprend de se maquiller les yeux en vert. Elle s'est badigeonné le visage d'autobronzant, presque un tube dans la matinée. Ça lui donne le teint orange foncé.

Assis sur la baignoire, Tarek la regarde faire. Puis vient derrière elle et l'embrasse sur l'épaule avant de sortir. Elle lui sourit dans la glace. L'impression d'être devenue sa petite cousine en une nuit.

Manu entre à son tour, se penche au-dessus de la baignoire pour se rincer la tête, fout de la teinture partout et parle, de l'eau plein la bouche :

— Comme ça tu ressembles pas trop aux photos publiées, mais tu fais un peu peur à voir. Pour attraper du loup, ça va devenir critique pour nous... Putain, les articles d'aujourd'hui, t'as raison de pas vouloir en entendre parler. Que de la merde. C'est pas sur eux qu'y faut compter pour avoir une belle légende.

Manu se frotte énergiquement la tête, balance de la mousse sur les murs et continue :

— Putain, ils respectent rien ces gens, ils cherchent jamais à comprendre !

Nadine cherche à s'enfiler des anneaux à l'oreille. Manu s'assoit dans la baignoire, elle propose :

— Et si on allait faire un tour chez un ou deux journalistes, on repère les pires et on va leur causer.

— Je veux pas en entendre parler. Je t'ai dit que je voulais pas en entendre parler. Ces gens-là n'existent plus.

— Ouais, mais ils devraient pas se permettre de parler de nous comme ça ; je veux dire, c'est pas normal, ils ont pas l'air de bien saisir qu'on a des flingues valables pour eux aussi.

— Tu nettoieras la salle de bains, quand t'auras fini, t'as mis du noir partout.

— Va te faire foutre, grosse pute.

Puis Nadine tâche de décrire Noëlle à Fatima. Le plus précisément possible. Lui donne l'enveloppe et les papiers. Elle répète que c'est très important. Elle ne le répète qu'une seule fois parce qu'elle voit bien que Fatima l'a comprise.

Elle lui emprunte quelques bracelets dorés qu'elle met tous au même poignet et s'amuse à faire du bruit avec.

Elles se donnent rendez-vous le 14 sur un parking de supermarché, parce qu'elles trouvent que c'est une bonne idée d'endroit pour un rendez-vous clando.

Fatima leur serre la main quand elles partent. Son visage plus impénétrable que jamais. Par contre, Tarek passe sa main dans les cheveux de Manu en rigolant et serre légèrement Nadine contre lui quand il l'embrasse sur la joue, dit qu'il espère quand même les revoir, qu'il viendra peut-être avec sa sœur.

En le quittant, Nadine se demande si c'est elle qui ne pense qu'à ça, ou s'il a d'autres dispositions à son égard que celles qu'on a pour une cousine. Bien que dans cette famille… C'est peut-être justement parce que c'est devenu très familial entre eux que ça joue sur la libido.

## 22

Tarek leur a laissé le scooter pour aller jusqu'à la prochaine ville. Manu conduit mal, trop vite et en insultant chaque voiture qui l'évite de justesse. Elles s'arrêtent à la première épicerie qu'elles croisent. Nadine descend acheter à boire.

Elle ressort, bouteille de Four Roses à la main, dévisse le bouchon, debout à côté du scooter. Même la couleur fait plaisir à voir, dorée, danse à travers le verre. Familière et bienfaisante brûlure de la première gorgée. Pique sous la langue et crame la gorge, puis enflamme tout le dedans pendant un bref instant. Elle plisse le nez et secoue la tête, tend la bouteille à Manu en déclarant très sérieusement :

— Ce qui convient à la main, c'est le flingue, la bouteille et la queue.

L'alcool brouille les angles et donne envie de rire. Assomme avec bienveillance.

Il fait soleil très blanc, trop de lumière, brûle les yeux.

Au centre-ville, elles rentrent dans un McDo. Manu agresse le serveur en costume vert en hurlant : « Je veux de la viande, pas du chat dans mes hamburgers. » Puis elle se calme et s'occupe de se tripoter les tétons pour qu'ils ressortent sous le tee-shirt en attendant qu'il les serve.

Deux gamins rouillent devant le fast-food, la petite leur tend à chacun un pascal « pour qu'ils s'amusent un peu ». Ensuite, elle parle d'un acteur noir qui fait un truc de ce genre dans un film. Elle s'énerve toute seule parce qu'elle n'en attrapera jamais de comme ça :

— Te faire enfiler par ce genre de type, ça doit être cool. Et faut pas déconner, une fille comme moi aurait bien mérité ça. Toi aussi, d'ailleurs. On aurait mérité ce qui se fait de mieux en matière de queue. Faut pas déconner.

Elle fait tomber de la sauce plein son tee-shirt, l'étale en voulant l'essuyer. Elle jette son hamburger sur le trottoir en insultant sa mère.

Une dame d'une cinquantaine d'années qui porte des lunettes rondes à monture dorée et des sandalettes dorées s'arrête pour lui faire remarquer d'un ton pincé « qu'elle pourrait quand même jeter ses ordures dans les poubelles prévues à cet effet ». La petite baisse un peu ses lunettes noires pour bien la voir, demande :

— C'est toi qui nettoies le trottoir, la vioque ?

La dame la traite de poufiasse. Ça laisse Manu sans voix. Pas du tout la réponse à laquelle elle s'attendait. La dame s'énerve immédiatement et l'insulte en des termes très modernes. Nadine l'écoute un moment puis dit :

— Surprenante, vraiment.

Elle lui retourne une grande claque très sonore. Puis prend Manu par le bras. La petite résiste un peu, elle resterait volontiers :

— J'y crois pas une seule seconde. Moi, je crois pas qu'elle méritait une claque. T'as entendu ça ?

Il fait vraiment chaud, de la sueur chaude qui mouille les tee-shirts.

Elles s'arrêtent dans une épicerie pour acheter de la bière qui sort du Frigidaire et qu'elles boivent vraiment vite puisque ça fait du bien.

Encore une phase d'abrutissement, elles rigolent de plus en plus franchement.

Elles passent devant un square vide, Manu insiste pour qu'elles s'y arrêtent :

— Sérieux, c'est le square le plus chouette du monde, on finit nos bières ici.

— Ça craint de s'arrêter, appel au contrôle d'identité.

— Non. Et quand bien même, on fera comme si on avait rien à se reprocher et tout se passera bien. Laisse-toi pousser les couilles, grosse, faut pas se laisser aller. On va s'asseoir là et attendre tranquilles que ça se passe, et tout ça va se passer très bien.

Elles s'assoient sur un banc à l'ombre des arbres. Il fait plutôt bon et la bière n'est pas encore trop chaude. Manu s'étire :

— Parfait. Putain, il était bien le garçon du premier soir. Ce serait chouette qu'on en recroise un comme ça. Ce serait chouette de croiser des garçons.

— J'attraperais bien un gamin, moi. Comme celui à qui j'ai filé un walkman.

— C'est marrant que tu dises ça, j'y pensais. Un garçon jeune et dénué d'expérience.

## 23

Brasserie immense et plutôt chic. Serveurs en costumes noir et blanc. Toutes les deux au comptoir, assises sur des tabourets hauts devant des verres de cognac ridiculement grands pour ce qu'ils sont remplis. Manu a une jupe tellement courte qu'on dirait qu'elle n'en a pas une fois qu'elle est assise. Ras la foune et le chemisier ouvert sur un de ces soutiens-gorge multicolores dont elle a le secret.

Elles ont ouvert l'œil sur le chemin, mais pas croisé de garçon jeune et envisageable.

Un type bedonnant et moitié chauve en costard bleu s'assoit à côté d'elles. Sourire bovin. Manu interroge brièvement Nadine du regard, elle répond :

— J'ai un avis mitigé : ce serait vraiment du vice, mais ce serait vraiment du vice. Je suis pour au final.

Manu se penche vers lui comme il lui parle. Se plaint de la chaleur en aggravant l'échancrure de son corsage pour s'éventer comme une brute. Il lui fait des compliments sur son sourire. Concupiscent. Il s'essuie la nuque assez souvent car il transpire comme un gros. Il respire fort en leur souriant béatement, découvrant sans remords ses dents jaunes et tachées. Pataud, abruti, grotesque et il pavane bravement. Doit décidément les prendre pour des connes pour oser faire du charme. Ou bien ne se rend pas compte, vraiment.

Mots d'esprit sordides et grimaces adipeuses. Aimable à force d'être lamentable, une question d'adaptation.

Il est pris de bouffées de chaleur dès que Manu l'effleure. Et elle ne l'effleure pas vraiment, elle se colle contre lui, lui fait sentir son ventre, bouge sa cuisse contre la toile de son costume et lui fait voir ses dessous sous n'importe quel prétexte.

Elle a l'alcool un peu brutal, et elle est visiblement excitée de le trouver si repoussant et de se frotter tout contre.

Nadine minaude gentiment et baisse les yeux quand il la prend pour la première fois par la taille. Comme elle la joue plus hésitante et pétasse que sa collègue, il va plus volontiers vers elle.

Manu observe, demande au monsieur de remettre la même et profite de ce qu'il tâche d'attirer l'attention du garçon pour déclarer :

— De toute façon, plus t'es conne, mieux ça le fait. J'ai mis du temps à le croire...

Nadine soupire, hausse les épaules et répond :

— Faudrait se mettre à leur place. C'est pas possible qu'ils voient les choses comme elles sont.

Comme le type a réussi à passer commande, il s'intéresse à la conversation, lance un jovial :

— Qu'est-ce que vous dites, les filles ?

Manu le dévisage, plus du tout coquine, elle aboie.

— Que tu pues de la gueule !

Le monsieur pense qu'il a mal compris, ou manqué quelque chose. Nadine rit. Manu le prend par le bras, lui dit gaiement :

— Toi, t'as l'air d'un mec qui a l'esprit large ; alors moi et ma copine, on va pas tourner autour du pot trop longtemps. On cherche un partenaire compréhensif, on va à l'hôtel, on fornique bien comme il faut et on se quitte. Ça te semble possible ?

Nadine se pend à son deuxième bras, explique très gentiment :

— Si ça te dérange pas, chéri, on va baiser plutôt que discuter : on a plus de chances de s'entendre.

Il bredouille, puis glousse comme une vierge tentée, à part qu'à la commissure des lèvres il a de la salive blanche presque solide. Comme de la morve de bouche. La formule qu'elle a utilisée le trouble énormément. Il doit faire un effort pour rassembler ses esprits.

En tout cas, il n'a pas fait le rapprochement entre elles et les deux filles des actualités. Il est partagé entre plusieurs émotions : il exulte parce qu'il va se les taper toutes les deux et il est du genre très vicieux et pas assez friqué pour aller voir des pros. Il est un peu décontenancé parce qu'elles sont trop directes. Tant de vice servi sur un plateau, c'est louche. Il choisit de penser que c'est jour de chance. Il est un peu déçu aussi parce que ça aurait été mieux s'il avait dû un peu les baratiner, avoir l'impression de les forcer un peu. Mais il se dit que rien n'est parfait.

Il ne leur en veut pas du tout d'avoir de drôles d'allures ; tout ce qu'il assimile, c'est qu'elles sont des filles. Et qu'il va se taper les deux.

Il paie la chambre d'hôtel. Il précise que ce sont ses nièces à la réceptionniste, une Polonaise rose qui ne lui avait rien demandé et qui l'écoute à peine. Parce qu'il a quand même honte de monter faire ça à trois. Manu et Nadine le regardent sans rien dire, légèrement consternées.

Dans l'ascenseur, il pelote Manu par petits gestes brusques, comme pour s'assurer que c'est bien vrai et qu'elle ne proteste pas. Même pas pour la forme. L'excitation lui grille les neurones et lui dilate les narines. Il est incendié et pas beau à voir. Ses yeux sont exorbités et ses mains ne tiennent plus en place, il a l'air possédé, en transe. Il fait partie de ces garçons qui se contiennent mal une fois qu'ils s'excitent trop. Nadine l'observe haleter et avaler sa salive, ses yeux chercher la sortie de l'orbite. Jamais les filles ne s'excitent comme ça juste à l'idée de la besogne. Elle en conçoit un peu d'envie, en même temps qu'un certain dégoût.

Manu se laisse toucher complaisamment, sans rendre aucune caresse, mais elle aime bien le sentir faire et le voir dans cet état.

Elle déclare quand l'ascenseur arrive :

— Putain, c'que ça transpire par cette chaleur, il est tout visqueux, ce gros con.

À l'intention de Nadine. Avec un naturel tellement déconcertant qu'il ne relève pas la réplique. Il a l'air de penser à autre chose.

Nadine regarde la main de Manu sur la toile bleue. À travers, on devine la forme du sexe qui a pris du volume. Tout le volume qu'il peut, du moins. Et elle regarde les doigts courir le long de la fermeture. Le poignet monter et descendre avec persuasion. La main du monsieur qui pétrit les seins avec vigueur. La petite se cambre bien pour qu'il puisse la tripoter à son aise.

La chambre d'hôtel est tapissée de fleurs orange. Ça la rend familière, semblable à toutes les chambres d'hôtel minables. Le papier se décolle par endroits, le couvre-lit rose est maculé d'auréoles brunes.

Debout face au monsieur, Manu se déshabille, les yeux rivés sur lui, qui ne la regarde jamais dans les yeux. Elle a le geste mécanique et sûr, sensualité exagérée de professionnelle. Pas besoin d'y mettre beaucoup de conviction pour que ça fasse son effet. Il est littéralement hypnotisé.

Appuyée contre le mur, Nadine les regarde fixement.

Le monsieur attire Manu contre lui, enfonce son gros visage dans son ventre, la lèche avec ardeur en l'appelant « ma petite fleur ». Il la tient par les hanches, une épaisse gourmette lui scintille au poignet, il est un peu poilu aux doigts. Ses ongles carrés s'enfoncent dedans sa chair. Il écarte les lèvres de son ventre avec son nez et se fourre dedans.

Pendant un moment, la petite le regarde de loin, caresse sa tête pensivement. Comme surprise de le découvrir là et désolée d'être incapable d'aimer ça. Et, à cet instant, elle ne lui veut pas de mal, elle ne le méprise pas.

Nadine se branle doucement contre la couture de son jean, ne lâche pas des yeux les mains qui arpentent nerveusement Manu.

La petite s'écarte doucement de lui, s'appuie contre le bord de la petite table. Prend ses cuisses et les écarte largement. Ongles vernis sur l'intérieur des jambes jouent autour de l'éclaboussure. Puis s'y attardent et s'y enfoncent. Elle se retourne sans s'interrompre, passe un doigt de l'anus à la vulve. De côté, elle regarde Nadine qui s'est laissée glisser accroupie contre le mur. Elles ne sourient ni l'une ni l'autre, elles font quelque chose de sérieux et d'important. Elles ne pensent à rien de précis.

Le monsieur est resté assis, les yeux écarquillés. Il fouille dans sa veste, prend un préservatif, se lève et vient derrière Manu. Avant de la pénétrer, il entreprend de se couvrir le sexe. Manu se retourne et le saisit au poignet :

— Que ta bite. Sans rien.

Il tente de lui expliquer qu'elle n'est pas dans le coup. Que c'est stupide, même pour elle, de faire ça sans précaution. Elle vient contre lui, de dos, bouge son cul contre lui. Il résiste un peu faiblement, se laisse branler et proteste sans conviction. Se met à lui caresser le cul en répétant que c'est par là qu'il veut la prendre, lui balancer toute sa purée.

Brusquement, Manu va s'asseoir. Elle dit :

— Tu bandes mou. Ça me fatigue.

Elle sort la bouteille de son sac, en boit un peu, la tend à Nadine. Puis elle allume une clope.

Le type les trouve quand même désagréables à force d'être bizarres. Il pense à se barrer, mais sa libido ne le laisse pas faire : une si belle occasion !

Il s'assoit à côté d'elle et propose timidement, mais il est prêt à insister :

— Je ne sais pas ce qui se passe. Peut-être que tu pourrais… Peut-être qu'avec la bouche ?

Il s'est mis en tête qu'il pouvait se faire sucer sans préservatif. Il se trouve assez malin.

Elle écrase sa cigarette et répond :

— T'as de la chance que j'aie de la conscience féminine et le goût du travail bien fait. C'est pas l'envie qui me manque de te foutre dehors.

Et, sans transition, elle le prend dans sa bouche et le travaille vaillamment. Le monsieur se tourne vers Nadine, pour un peu de réconfort moral. Il s'est mis en tête qu'elle était plus gentille que la petite et il attend quelque chose d'elle.

Elle le regarde sans bienveillance. Quelque chose d'exagéré chez lui, trop loin dans la connerie.

Manu est à genoux entre ses jambes. Elle l'aspire consciencieusement et, par habitude, lui caresse l'intérieur des cuisses. Il dit : « C'est bon, tu vois, ça vient » en jouant avec ses cheveux. Puis la tient plus fermement et lui enfonce bien au fond de la gorge. Elle cherche à se dégager, mais il a bonne prise et envie de lui cogner la glotte avec le gland. Elle lui gerbe entre les jambes.

Couchées sur le dos en quelques secondes, elles mettent une bonne minute à arrêter de rire.

Il est au lavabo, se nettoie en fulminant.

Elles suffoquent quand elles le voient si furieux. Il s'emporte :

— Je ne vois pas ce que ça a de drôle. Vous êtes vraiment…

Il cherche ses mots pendant qu'elles répètent inlassablement : « Avalé de travers », et la formule a un gros succès.

Lui s'emporte dans son coin et les traite de sales petites putes dégénérées en se rhabillant rageusement. Au moment où il sort, Manu cesse de rire et lui barre le passage :

— Sales petites putes dégénérées, c'est joliment trouvé et même très adéquat. Mais c'était pas à toi de le trouver, connard. Et on t'a pas dit de partir.

Il proteste qu'elles ne lui avaient pas dit qu'il fallait payer, qu'il n'a pas d'argent sur lui et que, de toute façon elle a du toupet de lui demander de l'argent après ce qu'elle a fait. Manu lui écrase son poing sur la gueule, du plus fort qu'elle peut, elle hurle à voix basse. Les traits déformés par la colère, sa bouche tordue tellement elle se tend quand elle lui parle, mais elle fait attention à ne pas faire trop de bruit :

— Est-ce que j'ai parlé d'argent ?

Il ne réagit pas. Il ne s'attendait pas à ce qu'elle le frappe. Il n'a pas l'air de bien supporter la violence, il est comme paralysé. Il ne protège même pas son visage et ne cherche pas à se défendre. Nadine le cogne à la tempe avec la lampe de chevet. Elle laisse échapper un souffle rauque quand elle donne le coup, comme une joueuse de tennis. Il vacille, Manu lui saute à la gorge et le colle par terre. Elle ne fait pas la moitié de son poids, mais elle y met une telle conviction qu'elle le domine. Elle s'assoit à califourchon sur lui, le serre à la gorge. Comme il commence à crier, Nadine attrape la couverture, lui couvre la face et s'assoit dessus. Le corps bouge, mais elles sont solidement installées. Manu chuchote :

— Mec, ce qu'on a pas aimé chez toi, c'est la capote. Ta grave erreur, c'est la capote. On t'a démasqué, mec, et t'es qu'un connard à capote. On suit pas des filles qu'on connaît pas comme ça, mec. Ça aussi, fallait que tu le comprennes. Faut se méfier. Parce qu'en l'occurrence tu sais sur qui t'es tombé, mec ? Sur des putains de tueuses de connard à capote.

Soubresauts. De la main, il tape frénétiquement par terre. Peut-être qu'il a fait du judo dans son enfance et ce geste lui revient, bêtement.

Nadine s'est relevée et elle le crible de coups de pied, comme elle a vu Fatima le faire dans la tête du flic. Plus elle tape et plus elle tape fort, elle sent parfois des trucs qui cèdent. À force, elle sent les muscles de ses cuisses travailler.

Elles s'agitent l'une l'autre jusqu'à ce qu'il soit absolument calme sous les coups.

Elles sont en nage et à bout de souffle quand elles s'arrêtent. Manu soulève un peu la couverture, fait une grimace dégoûtée et se lève.

Dans sa veste, elles trouvent un peu d'argent.

Côte à côte, elles se lavent les mains, remettent un peu de Ricils. Elles ricanent encore nerveusement en répétant : « Avalé de travers » et « connard à capote ».

À la sortie de l'hôtel, personne ne leur fait de réflexion. Elles ont été aussi discrètes que possible.

Nadine insiste pour qu'elles prennent le train.

Dans la rue, elles sont reprises de fou rire, Nadine commence à avoir mal au dos et il faut qu'elle s'arrête pour récupérer. Manu secoue la tête :

— Putain, j'y crois pas une seule seconde. Ce connard croyait que j'allais lui avaler tout son foutre et je lui ai gerbé sur le chibre. Dommage pour lui. Au mauvais endroit, au mauvais moment...

## 24

Elles traversent tout le train à la recherche d'un compartiment fumeur. Elles s'installent, mais Manu repart aussitôt pour acheter des Bounty au wagon-bar.

Nadine met son walkman, s'intéresse au paysage. Il n'y a pratiquement personne dans ce train et la climatisation ne fonctionne pas. *Sans les envies, c'est tellement plus facile. Surtout la nuit.*

Manu la tire par la manche :

— Là où on va, c'est pas très loin de Colombey. On peut passer par la pharmacie, si tu veux, en revenant.

— Si on arrive à pécho les diams, on va direct à Nancy rejoindre Fatima, ça serait con de se faire capter avant de les lui rendre. Et pis on s'en fout de la pharmacie, je vois pas pourquoi on retournerait là-bas. Tu veux rentrer chez ta mère ?

— Il a tué ton pote.

— Si c'était pas lui, ç'aurait été son frère.

— C'est con, j'avais une bonne idée de réplique. On serait entrées, on aurait regardé les bonbons, on se serait accoudées au comptoir, on aurait fait un peu les marioles et on aurait dit : « C'était un pote à nous, connard. » Et voilà.

— T'appelles ça une mortelle classe réplique ?

— Ouais. Simple, mais efficace. Parfait, quoi.

— J'ai réfléchi à un truc : des témoins, on devrait en laisser le plus possible. C'est encore pire que de buter quelqu'un, laisser un rescapé. Un bon témoin et qu'il se débrouille avec ça. Il arrête plus d'en parler, ça le réveille la nuit. Après, à chaque fois qu'il fait chier son monde, il se souvient de ce moment et il se sent tout petit. L'angoisse vrillée aux tripes et pas moyen de savoir quand elle sort lui bouffer le cul. On a fait une grosse erreur tactique : on aurait dû laisser plein de témoins.

— Il te reste beaucoup de munitions, toi ?

— Non. Assez pour deux jours. Tout dépend comment on consomme.

— Après qu'on a filé ce qu'on doit à Fatima, je voudrais retourner en Bretagne. Y avait des coins putain de chouette, des mortelles falaises… J'ai un peu réfléchi, entre sauter dans le vide et brûler vive ; mais s'immoler, c'est trop prétentieux. Donc après le rencard à Nancy, je vote pour le saut sans élastique... C'est un miracle qu'on soit encore en circulation. Je préférerais finir tout ça aussi bien que ça a commencé et donner sa chute à la blague. Avant d'être encerclée, choisir un coin bien chouette.

— OK. Faudra me pousser pour sauter, je pense pas que j'aurai le courage. Je me rends pas bien compte.

— T'inquiète, je te pousserai.

Manu ouvre une boîte de bière qu'elle a rapportée du bar, ajoute :

— Fatima a accepté le deal des diams parce qu'après elle veut nous aider. Refourguer la came, et nous persuader d'essayer de nous sauver loin. Sont pas comme nous, ces deux-là, c'est des perdants mais version avec la foi. C'est pour ça, je préfère qu'on esquive juste après, pas de discussion.

— On a pas que ça à foutre. Faut penser à laisser un mot à l'AFP : « Elles ont sauté sans élastique », qu'ils titrent pas n'importe quoi.

— Bonne idée.

Nadine remet son walkman : *everyday, the sun shines*, et c'est quand même dur pour la gorge de penser que c'est la dernière fois qu'elle entend ce morceau.

Mais elle n'arrive pas à être triste ni angoissée. Manu porte une chemise en soie rose pleine de taches de chocolat, ouverte jusqu'au nombril sur ce soutien-gorge incroyable. Elle se remet du vernis aux ongles, rose.

Nadine se promet de se concentrer au dernier moment, de penser à elle comme ça. Ça serait bien comme dernière image.

## 25

Le soleil cogne encore dur.

Au fond d'un vaste jardin bien entretenu, la maison de l'architecte est pleine de fenêtres. Escalier en pierres grises, chemins sinueux aux bordures éclaboussées de fleurs de couleurs vives. Comme sur un dessin d'enfant équilibré. Une demeure modèle au fond d'une propriété modèle. La description qu'en a faite Fatima est on ne peut plus fidèle. Pourtant, Nadine l'imaginait tout autrement.

Elles sont venues à pied, ont trouvé sans problème. Les baskets de Nadine brûlent à la cheville. Il lui faut des chaussettes, et vite. Elle patauge dans sa propre respiration, la sent dans son cou et au bas du dos.

Manu mâche des chewing-gums, en enfourne plusieurs à la fois et déglutit bruyamment. Ses escarpins dorés sont déjà défoncés, elle se tient de travers quand elle marche et bousille ses chaussures.

Nadine remarque :

— C'est marrant comme ça va vite pour que t'aies l'air d'une clocharde. On dirait que t'es sans domicile depuis des mois.

— C'est ma vraie nature qui revient au galop.

— Ouais, soit t'as le naturel très fort, soit t'as pas fait d'effort pour le vernis.

— C'est pas comme d'autres. Elle est rudement chouette sa baraque à Trou-du-cul.

Nadine sonne. Elles ont décidé que ce serait elle qui parlerait, parce qu'elle inspire beaucoup plus confiance. Elles vont dire qu'elles font une enquête. Au cas où il refuserait vraiment de les recevoir, Manu a son gun à portée de main et elles forceraient le passage. Ensuite, elles aviseront.

Le but du jeu, c'est qu'il finisse par ouvrir ce coffre. Ça n'a rien d'évident, parce qu'il n'a aucun intérêt à faire ça. D'ailleurs, il n'a plus trop intérêt à rien, c'est un mauvais jour pour lui.

Pour qu'elles obtiennent de lui faire ouvrir ce coffre, il faut qu'il soit très con ou qu'elles soient très malignes. Elles ne sont pas très malignes, pourvu qu'il soit très con.

Mais le challenge est plus distrayant que vital, elles n'ont pas la volonté de prouver quoi que ce soit.

Elles se sont demandé ce qu'elles devaient faire s'il n'était pas seul. Elles ont cherché une réponse satisfaisante, n'en ont pas trouvé et ont lâché l'affaire. Manu a déclaré : « Le meilleur plan, c'est encore de ne pas avoir de plan. » Et elles en sont restées là question tactique.

Pourvu qu'il soit seul. Seul et très con, ça serait une bonne combinaison.

Le monsieur qui ouvre est de taille moyenne, la mâchoire carrée, rasé de près, les tempes légèrement grisonnantes. Aussi bien entretenu et présentable que son jardin.

Il demande suavement : « C'est pour quoi ? » La voix est grave et posée, la voix évoque immédiatement des choses de sexe dans la pénombre, mouvements extrêmement doux, d'une délicate perversité. Nadine répond qu'elles travaillent pour IPSO, que c'est une enquête sur la consommation des ménages en matière de culture. L'intitulé sonne un rien saugrenu, ça n'a pas l'air de le choquer.

Encore un qui ne fait pas le rapprochement entre elles et les deux des journaux. Il les invite à entrer et s'écarte pour les laisser passer. Manu grommelle :

— À quoi ça sert de faire la une si personne te reconnaît ?

— À dégommer les innocents, ferme ta gueule.

Le monsieur qui habite là sait recevoir, il leur propose de s'asseoir et demande si elles ont envie

243

d'une tasse de café. Le sofa est confortable, la pièce claire. Le jardin s'étend derrière, presque un champ. Rempli de fleurs. Écœurant de mièvrerie, mais très réussi. Ça donne envie de chercher la faille, de précipiter ce calme majestueux dans le carnage.

Les murs sont tapissés de livres. Il y a des reproductions de peintures dans les espaces libres. Est-ce que ce sont vraiment des reproductions ? L'homme a bon goût. Et tient à ce que ça se sache, tout en évitant d'en faire trop, de tomber dans le vulgaire.

Confrontée à tant d'élégance, Nadine a l'impression de suer par litres, de respirer trop fort. Elle se sent déplacée et agressée d'être aussi mal à l'aise.

En préparant le café, il pose diverses questions sur le métier d'enquêteuse. Disponible et accueillant. La voix grave, racée, l'intonation caressante. Nadine répond, reste aussi évasive que possible. Elle est persuadée qu'il les trouve laides et débraillées, mais qu'il a trop d'éducation pour le montrer. Manu se réjouit à l'avance pendant qu'il s'affaire à la cuisine :

— Putain, c'est tout blanc par terre, ça va faire du bordel quand on va le saigner.

Il revient, pose un plateau avec le café sur une table basse en verre fumé. On ne l'imagine pas en renverser à côté, faire un faux mouvement. Un homme comme ça ne dérape pas. Sur sa peau, ça s'inscrit en gros : « Je respecte mon corps, je mange sainement depuis ma plus tendre enfance, je baise bien, de préférence des femmes de qualité que je fais souvent crier pendant la besogne, j'ai un travail qui m'intéresse, la vie me va bien. Je suis beau. » Le genre présentable au réveil, à mille lieues des lois de la gueule de bois. Il fait exception à la plupart des règles, il jongle au-dessus de la mêlée. Désinvolte et précieux.

Nadine se demande comment Fatima a pu faire l'impasse sur un point aussi capital. Pourquoi ne les a-t-elle pas prévenues, qu'elle les envoyait chez un superhéros ?

Comme il s'assoit et se tourne vers elles, prêt pour le questionnaire, Nadine sort son Smith et Wesson, le braque sur lui. Elle n'a toujours pas d'idée quant à la stratégie à adopter. Elle fronce les yeux et se rapproche un peu pour tâcher de mieux capter l'expression que ce visage prend face à un canon. Il la considère d'un air interrogatif. L'angoisse et la panique lui sont des sentiments tellement étrangers qu'il n'y a pas spontanément recours.

Manu se sert une tasse de café, en remplit une deuxième qu'elle pousse devant Nadine, et elle demande aimablement au monsieur s'il en veut quand même. Il fait un petit signe pour dire oui, elle secoue la tête :

— Va te faire foutre connard, t'en auras pas.

Elle rit de bon cœur en même temps qu'elle sort son gun de sa poche arrière, le tient d'une main pendant qu'elle boit, sans le viser particulièrement. Elle garde les yeux posés sur lui et dit à Nadine :

— Celui-là, il a de l'aplomb. Je comprends mieux ce que tu veux dire, quand tu parles des visages décomposés par la peur. Celui-là, j'ai hâte de lui voir les yeux s'agrandir et tacher sa chemise avec ses tripes.

Elle se tait et le fixe en silence. Expression lubrique et malsaine, caricaturale. Elle donne des coups de langue sur le canon de son flingue, pensive. Le monsieur n'a pas bougé, pas sourcillé. Elle pense qu'il faut faire attention ; si le coup part, c'est dans sa bouche. En même temps, sucer son canon est une nouvelle idée très séduisante. Elle commente à voix haute :

— Je finirai bien par me branler avec ce flingue. Tu vivras peut-être assez vieux pour voir ça, ducon.

Nadine réfléchit, l'opposition entre Manu, qui fait dans le bestial, et elle, qui la joue plus protocolaire, est exploitable. Un peu simpliste peut-être. Mais elle ne trouve aucune meilleure idée. Elle se lève, inspecte les rayonnages de livres, résolue à en rajouter dans le rôle de la névrosée sympathique. Manu le tient en joue à bout portant.

Nadine prie pour qu'elle comprenne qu'elle compte jouer sur l'opposition, adopter une tactique de flic.

Elle sort avec précaution un livre des rayonnages. *The Stand*. Le feuillette tranquillement. Il faut qu'elle se lance, qu'elle se mette à parler. C'est une bonne chose de prendre son temps, laisser l'angoisse prendre corps. Mais encore quelques secondes et cela tournera au temps mort. On ne rentre pas chez les gens les braquer avec un flingue si on a rien à leur dire. Elle remet le livre en place. De l'étagère inférieure, elle tire *L'Idiot* et, d'un ton détaché, comme absorbée par la lecture des notes de couverture, elle demande :

— Vous avez entendu parler de nous ?

— J'en ai bien peur.

— Comme le soulignait ma collègue, ce que je préfère dans le meurtre, c'est l'expression des victimes. Cette expression terrible. C'est incroyable ce qu'une bouche peut s'écarter quand elle hurle. Fascinant ce que l'effroi peut faire du plus banal des visages.

Elle marque une pause, remet le livre en place. Elle ne sait pas bien où elle veut en venir. Il l'écoute attentivement, il n'a pas bougé.

Elle a lu une fois que les serial killers tuaient parce qu'ils ne se rendaient pas compte que leurs victimes étaient des êtres humains ; et que s'ils prenaient conscience qu'elles ont un nom et une identité, ils ne les tueraient pas froidement. Vu le nombre de conneries qu'il a dans sa bibliothèque, il a sûrement eu l'occasion de lire quelque chose concernant la psychologie du serial killer. Avec un peu de chance, c'était quelque chose d'approchant. Le piège est grossier. Elle ne trouve rien de mieux, s'en contente et enchaîne :

— Vous avez du goût. Notamment en littérature, pour autant que je puisse en juger. J'ai peine à détester un homme qui lit Ellroy dans le texte et possède l'intégrale de Sade. En tous les cas, vous tranchez singulièrement d'avec nos précédentes rencontres.

Elle revient s'asseoir en face de lui et sourit. Pas comme si elle le dominait, plutôt comme enchantée de le rencontrer.

Il sourit en retour. Elle est persuadée qu'il la trouve grotesque mais qu'il le dissimule. Parce qu'on évite de heurter la susceptibilité des gens armés. À moins qu'il cherche à l'amadouer. Elle ne sait pas comment interpréter son attitude. Elle ne sait pas quoi faire de son corps en face de lui. Sur la corde raide. Ne pas montrer qu'elle est désarçonnée. Après tout, elle est du bon côté du flingue.

Alors pourquoi est-il aussi détendu ? Peut-être qu'il sent qu'elle panique et ricane intérieurement.

Il la regarde avec insistance, toujours en souriant. Il est suffisamment intelligent pour sentir qu'elle a envie d'être flattée. Elle a envie d'être flattée. Elle a envie de sa reconnaissance, en même temps que peur de ne pas la mériter.

Elle a envie de lui.

Elle parle doucement et posément, comme si elle maîtrisait la situation :

— Il y a une seconde différence entre nos précédentes victimes et vous, de taille elle aussi. Nous n'avons jamais tué qui que ce soit pour de l'argent. Nous nous sommes parfois servies au passage, après coup et pour le défraiement. Je trouve ça effroyablement vulgaire, avoir un mobile pour tuer. C'est une question d'éthique. J'y tiens. J'y tiens énormément. La beauté du geste, j'accorde beaucoup d'importance à la beauté du geste. Qu'il reste désintéressé. Or nous sommes ici pour une histoire d'argent. Nous partons, ma collègue et moi-même. Une subite envie de visiter le monde.

Manu, qui s'est exclue de la scène pour aller fouiller dans le bar, intervient inopinément :

— Et de soulager les couilles aux indigènes.

Nadine sourit avec condescendance en la regardant. Comme si elle avait l'habitude de voyager avec une demeurée. Elle sourit ensuite au monsieur, comme pour dire : « Elle est comme ça, mais elle a bon cœur au fond, ne vous en faites pas. » Il répond à ce sourire, avec insistance. Ils s'entendent. Soit il joue vraiment bien son rôle, soit il écoute vraiment ce qu'elle raconte et a l'impression de bien saisir le personnage. Fantasque et délicieusement violent, tellement littéraire justement.

Elle conclut, elle a rarement fait un tel effort pour sembler sereine et rassurante. Comme si elle désirait envoyer des ondes de paix par tous les pores de sa peau :

— Le problème se pose simplement. Vous avez un coffre au fond de la pièce derrière celle-ci. Un coffre caché derrière une toile de Tàpies. Dans ce coffre, il y a des pierres précieuses. Car vous avez le bon goût de vous intéresser aux diamants. Un homme de votre qualité ne saurait se satisfaire d'actions en Bourse…

— J'aime la beauté, vous semblez l'avoir compris.

Elle est sidérée. C'est sa première réplique, il l'a lancée en parfait gentleman. Conversation de salon, ils causent. Entre gens qui se comprennent et s'apprécient.

Elle enchaîne donc sur ce même ton du badinage :

— Ces diamants nous intéressent très prosaïquement, pour nous permettre de voyager. Et accessoirement de sauver notre peau. Nous ne savons pas ouvrir les coffres-forts. Nous avons donc besoin que vous le fassiez. Faisons un pacte : vous nous remettez les pierres et nous ne vous ferons aucun mal. Vous avez ma parole d'honneur. Qui vaut ce qu'elle vaut, à vous de juger.

Elle a fait de son mieux. Elle a bluffé autant que possible. Elle a envie de partir. Elle est sûre que ça ne va pas se passer comme elle le souhaite.

Il croise les jambes, réfléchit un court instant. Manu revient au centre de la pièce, une bouteille de Glen Turner à la main qu'elle tient par le goulot. Elle précise :

— Par contre, connard, si tu l'ouvres pas ton coffre de merde, moi j'm'en carre que t'aies lu Machin et Machin et je me ferai un plaisir de t'éclater ta gueule de crétin impassible.

Elle se tourne vers Nadine, ajoute :

— Comme ça, personne pourra prétendre qu'on l'a tué pour de l'argent, si c'est ça qui te chiffonne. L'honneur sera sauf, quoi.

Nadine acquiesce, l'architecte lui jette un coup d'œil inquiet. Très léger, il est encore loin de la panique.

Finalement, il lève les bras en l'air en signe d'impuissance et dit :

— Je ne crois pas que vous me laissiez le choix. Si vous voulez bien me suivre.

Manu se colle derrière lui, le canon touche ses omoplates. Nadine ferme la marche, il s'adresse à elle comme s'il n'y avait personne entre eux. Très mondain. Il n'a pas peur. En tout cas, ne le montre pas du tout.

— Je lis très peu les journaux et je n'ai pas la télé. Je pense que vous comprendrez qu'on se refuse à avoir la télé.

Elle ne comprend rien. Et surtout pas où il veut en venir. Il cherche à l'endormir, il a un plan derrière la tête. Il continue sur sa lancée :

— Mais j'avais entendu parler de vous deux, j'avais été très intrigué... Je vous imaginais autrement... À vrai dire, je n'envisageais pas de vous rencontrer.

Ils passent dans la pièce à côté. Nadine le regarde pousser le tableau au mur. Est-ce qu'elle s'est déjà fait mettre par un mec aussi classe ? Dans des plans de tapin, elle est déjà allée se faire enculer chez des élégants. Mais aucun d'entre eux n'a jamais eu cette attitude envers elle, cet effort de séduction. Le grand jeu. Ce type-là a envie de lui plaire. À chaque fois que leurs regards se croisent, il fait attention à ce que ça soit torride et fervent, qu'on ne manque pas le sentiment.

Ça ne peut pas être aussi simple. Quelque chose va foirer. Elles sont crispées sur leurs armes, droites et attentives. La même idée en tête, l'une comme l'autre : « Qu'est-ce qu'il a à déconner comme ça, et qu'est-ce que ça cache ? »

Le coffre-fort est exactement comme elles l'imaginaient : gris très foncé avec des petites roues à codes. En triangle. Avant de toucher les boutons, il dévisage Nadine, déclare :

— Je n'ai jamais rencontré de femme qui vous ressemble. Vous ne ressemblez sans doute à personne. Ce que vous faites est… terriblement violent. Vous devez avoir beaucoup souffert pour en venir à ces extrémités, à ces ruptures. Je ne sais quel désert vous avez traversé, je ne sais ce qui me pousse à avoir confiance en vous. Comme vous dites, le marché est simple, et je vous fais confiance, aveuglément. Je vous vois si belle, jusqu'au plus profond de vous.

Il a un rire, un petit éclat de rire terriblement raffiné, et secouant la tête :

— Vous êtes un tel personnage. Nous nous sommes à peine croisés, mais il s'agit là d'une rencontre. Je ne peux m'empêcher d'être…

terriblement fasciné. Il est d'autres pactes que je passerais volontiers avec vous.

Il tourne les petits boutons, sans se presser, absorbé par ses considérations.

Nadine n'a pas sourcillé. Il minaude. Elle n'en croit pas ses yeux. Est-ce qu'il va finalement lui proposer de lui passer un rapide coup de langue dans la fente, pour la route ? Il est capable de ça. Il est taré. Pris par son affaire de flirt avec une femme dangereuse, tout à sa causerie avec une tueuse.

Nadine regarde ses mains. Blanches et fines, les doigts légèrement tordus, on voit les veines à travers la peau. Des mains agiles et alertes. Elle imagine ces mains-là qui se glisseraient en elle. Ce visage-là, tellement parfait et régulier, qui se pencherait sur elle. Il porte une chaîne en or très fine. Cette bouche-là contre sa peau.

Elle aurait honte de son corps contre ce corps-là. Sous les caresses dispensées par un amant de cet acabit, sa peau deviendra grasse et pleine de poils comme des cafards, rugueuse et rouge. Écœurante.

Il demande :

— Au fait, je ne vous demande pas comment vous avez entendu parler de moi ?

— Vous vous rendez bien compte, ça serait déplacé.

Manu le pousse dès que la porte du coffre s'entrouvre, braille en y plongeant les mains :

— Putain, mais c'est plein de trucs, j'y crois pas une seule seconde comme il a pas fait chier son monde pour l'ouvrir, son bordel.

Le monsieur est debout face à Nadine, il tend ses deux mains :

— Le moment est venu de m'attacher, je crois.

Il n'a pas peur. Il s'est mis en tête qu'elle allait l'attacher. Ça fait sourire Nadine, en fait ça ne l'étonne pas de sa part. Il apprécierait même sûrement beaucoup qu'elle le ligote solidement.

Il n'imagine pas un seul instant qu'elles puissent lui faire du mal. Il tend ses poignets, trouve la journée excitante.

Est-ce qu'il a eu peur une seule fois depuis qu'elles sont entrées ? Est-ce qu'il les a prises au sérieux une seule seconde ?

Il insiste, à l'intention de Nadine, qui l'inspire décidément.

— Ce n'est pas le moment, mais je suis désolé, vraiment, de ce que le destin ne nous ait pas fait nous croiser… en d'autres circonstances.

Nadine se tait. Ils sont debout l'un en face de l'autre. Elle a envie d'aller contre lui, qu'ils jouent encore un moment. Qu'il soit courtois, respectueux, beau et galant.

Elle le détaille. Elle a envie de lui.

Il est en face de deux furies qui défraient la chronique à tirer dans le tas et il leur fait la conversation. Il est persuadé d'être épargné. De passer au travers, cette fois encore.

Dans son dos, Manu vient braquer son canon sur sa nuque. Elle dit :

— Toi, on va t'apprendre ce que perdre veut dire.

Il se raidit quand même. Nadine l'attrape par l'oreille, le force à s'agenouiller. Il s'exécute sans résister. Elle le soupçonne décidément d'y trouver un certain plaisir. Elle parle à travers ses dents, fulmine :

— Vu d'ici, t'as déjà moins bonne mine. Fils de pute, le pire c'est que t'as assez d'assurance pour en mettre plein la vue, et j'ai bien failli te laisser la vie sauve. Mais je crois que ça va me faire du bien de t'éclater, je crois que je vais vraiment prendre mon pied.

Il a mis du temps à paniquer. Un sacré temps. Mais ça lui vient maintenant. Ses yeux supplient, il implore de plus en plus bruyamment. Il cherche à se relever, elle le cogne avec la crosse de son flingue, lui fait comprendre que c'est à genoux que ça se passe. Elle s'adresse à Manu, toute la pression qu'elle a contenue jusqu'alors éclate et elle est assez hystérique :

— Il se fout de notre gueule, ce connard se fout de notre gueule.

Elle lui assène un coup de pied dans la face. Se recule pour le contempler. Il beugle à gros sanglots. Manu se penche sur lui, caresse sa nuque, répète tendrement :

— On est juste passées t'apprendre ce que perdre veut dire.

Il supplie qu'elle le laisse en vie, s'accroche à Manu comme un môme et balbutie :

— Ne me tuez pas, je vous en prie, ne me tuez pas.

Elle se redresse et déclare avec mépris :

— Non, je ne tue pas.

Il s'affale par terre en sanglotant, elle s'éloigne de lui, dit à Nadine en passant :

— La grosse, tue-moi ce connard.

De profil, le bras bien tendu. La balle s'enfonce à la base du nez. Le corps se secoue puis s'apaise complètement. Il se répand comme un sac à ordures malencontreusement déchiré qui laisserait échapper des ordures rouges et brillantes.

Manu sort tout ce qu'il y a dans le coffre. Les bras pleins de sacs et de papiers divers, elle commente :

— C'est classe comment tu tires, juste d'une main et très droite. Très Ange de la vengeance, j'aime bien. Tu progresses, grosse, toutes mes félicitations.

Puis elle passe tout ce qu'elle a dans les bras à Nadine, la petite vient d'avoir une idée et elle en jubile à l'avance. Elle baisse son fute, s'accroupit au-dessus de la tête de l'architecte et l'arrose de pisse en bougeant son cul pour qu'il en prenne bien sur tout le visage. Les gouttes dorées se mêlent au sang par terre et lui donnent une jolie couleur. Déplacée. Elle susurre niaisement :

— Tiens, amour, prends ça dans ta face.

Nadine la regarde. Elle trouve ça pertinent. Elle pense qu'il aurait sûrement apprécié l'hommage à sa juste valeur.

## 26

Elles ferment la porte de la pièce au coffre, fouillent partout, renversent beaucoup de choses, en cassent d'autres. L'endroit perd de sa superbe en quelques minutes. Ça rassure Nadine, qui déclare :

— C'est vraiment que de la frime de façade : trois coups de pied, deux mouvements et c'est réglé.

Elles alignent les bouteilles d'alcool fort sur la table basse, dévalisent le congélateur et se disputent la télécommande.

Elles discutent longuement du cas de l'architecte. Manu demande finalement :

— T'avais envie qu'il te fourre, non ?

— Oui. À m'en faire mal au ventre.

— T'aurais pu tenter le coup sans problème, il était assez affolé du neurone pour trouver ça pertinent. Il était branque ce type, sérieusement branque… T'as vraiment envisagé de l'épargner ?

— Je sais pas en fait. Oui, je crois.

— Tu regrettes ?

— Bien sûr que non. Au contraire, c'était indigne ce soupçon d'hésitation. Mais t'aurais dit quoi, si je t'avais demandé de pas lui faire de mal ?

— J'aurais rien dit. J'suis pas assoiffée de sang au point de te contrarier la libido… D'un certain point de vue, ça m'aurait contrariée, je veux pas y aller de mon couplet marxiste, mais j'aurais pas trouvé moral qu'on épargne le seul vrai bourge qu'on croise.

— J'aimais bien comment il me parlait. Très salon.

— T'es jamais que la plus servile de toutes les truies de la porcherie. Prête à te vautrer dans la première marque d'affection qu'on daigne te manifester, à plus forte raison si ça vient de chez les nantis. Il était à chier contre, ce tocard, à chier contre. Ou à pisser dessus, quoi…

— Ça se peut… Au final, je suis bien contente d'avoir vu la couleur de son sang.

Quand elle a trop mangé, Nadine s'allonge sur le dos et attend que le mal de ventre passe. Manu fait un tour aux chiottes, se fait vomir et revient manger encore un peu. La petite résume :

— Demain, on va voir Fatima. Et ensuite on s'arrache. J'y crois pas une seule seconde, tout va se passer comme prévu.

— Ça fait bizarre quand même, ça fait pas très réel. C'est notre dernière nuit.

— Suffira d'un pas en avant.

Quand Manu est trop raide pour parler, Nadine pousse le volume à fond. Vu la taille du jardin, les voisins ne risquent pas de se plaindre du bruit. Face à la chaîne, elle se déhanche en chantant à tue-tête :

*Too many troubles on my mind. Refuse to loose.*
Elle se voit dans une glace, se trouve belle. C'est la première fois qu'elle pense ça en se voyant. Maintenant, c'est vrai puisqu'il n'y a plus qu'elle pour en juger. Elle n'a plus à se demander ce qu'en penserait son voisin de palier. Elle a fait un trait sur tous les voisins de palier.

Allongée sur le ventre devant la télé, elle enclenche une cassette porno qu'elle a trouvée entre un Buñuel et un Godard. Elle monte le son de la télé à fond, comme ça elle entend en même temps la télé et sa cassette.

Elle rapproche un fauteuil de l'écran à coins carrés. Deux filles, une brune et une blonde, sucent un mec. La blonde prend les choses en main et le travaille avec frénésie. Plus moyen pour la brune d'y mettre un seul coup de langue. Du coup, elle se tripote les seins à genoux à côté d'eux.

Manu émerge péniblement, tend la main pour que Nadine lui passe la bouteille de scotch. Elle rapproche son fauteuil à côté de l'autre. S'exclame :

— Quelle acharnée de la pine la blonde, je voudrais pas être à la place de l'autre, c'est carrément de la figuration.

Elle enlève son pantalon, se met à l'aise. Se caresse avec la paume sans enlever son slip, se branle avec méfiance, le film ne la convainc pas trop.

Puis les deux filles se mettent à quatre pattes côte à côte et le type les fourre à tour de rôle.

Nadine est agenouillée sur son fauteuil, une main entre les cuisses. Elle regarde la télé, puis Manu, elle renverse la tête.

*What you do when you want to get thru. What you do when you just can't take it. What you do when you just can't fake it anymore.*

Des bouteilles vides soigneusement alignées autour de la table basse. Elles sont trop raides pour se dire quoi que ce soit, elles tanguent chacune dans leur coin et se branlent en pensant à des trucs. Sur l'écran, le trio se démène et fait beaucoup de bruit. Elles s'endorment avant la fin du film, bercées par le vacarme, assommées par l'alcool.

## 27

Le lendemain, elles se douchent et se gavent de jus d'orange. Comme si ça pouvait arranger quelque chose à leur gueule de bois. Finalement, elles ouvrent une bouteille de whisky épargnée la veille. Au début elles se forcent un peu, puis elles y reviennent avec entrain.

Nadine rembobine sa cassette dans la chaîne et pousse le volume. Elle tient sa bouteille à deux mains et boit comme une guenon, se balance d'avant en arrière.

*Dans les flammes, dans le sang, riant du pire, pleurant de joie, tous les vampires gardent la foi, crever les yeux pour de rire, violer et se souvenir. L'essence même du mal.*

Manu se peint les ongles en rouge très foncé. Elle souffle dessus pour que ça sèche plus rapidement.

Dans le garage de la maison, il y a une Super 5 noire. Elles cherchent les clés et les trouvent dans la poche d'un veston accroché dans l'entrée.

Elles ont mis les bijoux, les pièces et les diams dans un sac plastique de supermarché.

Nadine a emprunté un costard noir d'été à l'architecte, chemise blanche et cravate mal nouée. Les chaussures lui sont trop grandes, elle enfile des baskets. Elle s'est repassé les sourcils au crayon noir. Ressemble vraiment à un mec avec ses cheveux courts et s'étonne de ne pas y avoir pensé plus tôt.

Elles prennent le soleil dans la tête en sortant. Éblouissant. Claque brûlante, oppressante et bienfaisante. Dommage qu'elles ne puissent pas passer l'après-midi dans l'herbe.

Elles roulent fenêtres grandes ouvertes. Nadine pense à la maison qu'elles viennent de quitter.

— Ce mec est vraiment ma victime préférée. Ça vit enterré dans des bouquins, ça croule sous les disques et les cassettes vidéo. C'est sordide. Ça aime les auteurs déjantés, les artistes maudits et les putes dégénérées… Ça apprécie la décadence classée par ordre alphabétique. Bon spectateur, en bonne santé. Ça sait apprécier le génie chez les autres, de loin quoi. Avec modération, surtout. Pas d'insomnie, bonne conscience en toutes occasions. C'est moral ce qu'on a fait chez lui.

— On discute pas les goûts et les couleurs. Moi, je préfère quand même les corps de flics.

Nadine monte le son. Elle commence à conduire franchement bien. Le tissu du costume gratte un peu.

*Tall and reckless, ugly seed. Reach down my throat you filthy bird, that's all I need, the empty pit, ejaculation, tribulation. I SWALLOW. I SWALLOW.*

## 28

Elles arrivent très en avance vers Nancy. À la hauteur de Toul, elles s'arrêtent dans une épicerie isolée au bord de la route. Une boutique qui fait essence et vente d'alcool et de bouffe. On se croirait au Texas, en modèle réduit et verdoyant L'autoradio braille.

*Je voudrais pouvoir compter sur quelqu'un. Je voudrais n'avoir besoin de personne.*

Nadine coupe le moteur. Elle se souvient d'avoir écouté cette chanson en pensant à d'autres choses. Avant de tomber sur Manu, une époque révolue où elle se sentait seule.

La petite braille :

— Putain, c'que j'ai soif ! Putain, c'qu'on tient l'alcool, on a pris du grade. Une bouteille de whisky dans la matinée. Et hop !

Elle fait des sauts de cabri sur le parking. Regarde autour d'elle et recommence à brailler :

— Putain, c'est chouette ce coin. Comme on est en avance, on va pouvoir aller pillav dans la forêt. C'est chouette la forêt, tu trouves pas ?

Le soleil est toujours aussi blanc et appuie sur la peau. Nadine sent son flingue à l'intérieur de sa veste, un poids présent et agréable.

Manu rentre dans l'épicerie sans l'attendre. Nadine traîne un peu à se regarder dans les vitres de la voiture. Elle ressemble vraiment à un mec, et même à un mec avec une certaine classe.

L'épicerie est basse, une grande pièce sur un seul étage. Les portes sont grandes ouvertes et il fait sombre à l'intérieur. Nadine s'approche. De loin, voit Manu sortir son flingue, en ombre car elle est à contre-jour. Détonation. Au moment où elle arrive à la porte, Manu chancelle. Seconde détonation. Nadine entre dans le magasin, distingue une silhouette debout à l'autre bout du magasin. Elle tire trois fois. L'ombre s'effondre mollement, sans même riposter.

Les yeux de Nadine s'habituent à l'obscurité. Manu est par terre. Des corps maintenant Nadine en a suffisamment vu pour savoir à quoi ça ressemble. Et pour comprendre que quand le sang coule de la gorge aussi abondamment on peut parler de cadavre.

Manu, on peut appeler ça un cadavre.

Elle ne peut se résoudre à se pencher sur elle.

D'ailleurs, pas la peine de s'assurer qu'elle est morte.

S'assurer qu'elle est morte. Pas la peine.

En rassemblant les éléments qu'elle a eu le temps de voir, elle comprend que Manu a décidé – elle ne saura jamais pourquoi – d'ouvrir le feu sur le type qui tenait le magasin. Et ce type avait une carabine chargée et il n'a pas hésité. Elle ne saura jamais pourquoi.

Elle pense en automatique. Mais rien n'évoque rien, vide d'émotion. Une partie d'elle-même récapitule les faits. Opération clinique. Une autre partie s'est déconnectée. Elle n'a pas envie qu'elle se remette en marche. Elle n'a pas envie de vivre ce qui va venir.

Manu est au milieu de la pièce. Vue du dessus, jetée à terre, ensanglantée. La tête séparée du tronc par une blessure luisante.

Nadine vide le tiroir-caisse. Elle est absolument calme. Elle sent que ça vient, elle le sent gronder dans sa gorge.

De temps en temps, elle jette un œil sur le petit corps au milieu de la pièce. Elle n'a rien renversé en tombant.

Elle a froid.

Au-dessus de la plaie, Manu garde un sourire féroce.

À quoi elle a pensé au dernier moment ?

En tout cas, ça l'a fait sourire. Au dernier moment.

Elle ne peut pas la laisser là, avec ses jambes toutes blanches et ce mauvais rictus. Ses cheveux si courts qu'on lui voit le crâne.

Elle réfléchit en boucle, déglutit péniblement. Elle tremble de froid et elle est trempée de sueur. Elle attrape une couverture sur une étagère. Elle enveloppe le corps et elle a peur que la tête se détache du front. À part une fois chez Fatima, elles ne se sont jamais touchées d'aussi près. Elle regrette stupidement de ne l'avoir jamais prise dans ses bras.

C'est quand elle pense à ça et qu'elle trouve ça stupide, que ça sort de sa gorge et elle revient à elle.

Elle l'installe sur la banquette arrière de la voiture, retourne au magasin prendre plusieurs bouteilles de whisky. Elle pleure sans faire de bruit, elle pleure comme elle respire d'habitude. Elle démarre, cherche à compter depuis combien de jours elles sont ensemble. Vide une demi-bouteille de whisky et passe la première.

*Besoin de personne.*

Elle baisse un peu le son. Demande à voix haute :

— C'est quoi le dernier truc qu'on s'est dit ?

Ce qu'elle dit est incompréhensible parce qu'elle n'a pas cessé de sangloter. Elle répète :

— Le dernier truc qu'on s'est dit, putain, c'était quoi ?

Carambolage interne, elle se fouille la mémoire et ne parvient pas à se souvenir. Elle monte vers la forêt, elle ne voit rien à cause du soleil et des larmes.

Elle s'arrête plus haut. Elle titube en sortant. Les arbres sont très verts et la lumière jolie.

Elle la sort tant bien que mal de la voiture. Elle a peur que la tête se détache, elle la tient précautionneusement pour qu'elle reste soudée au tronc. Elle ne veut pas prendre ça dans les yeux. Elle la pose à terre. Elle ouvre la couverture. Ce cadavre précieux. Déboutonne le corsage de Manu. Le bas du corps intact et blanc, presque une peau de vivante. Écrabouillée jusqu'au menton. Puis le visage intact. Il ne manque pas grand-chose.

Parce qu'elle en a vu quelques-uns ces derniers temps, le corps mutilé ne la dégoûte pas vraiment. Elle caresse Manu à la tempe, essaie de rester digne pour lui parler un peu :

— Je vais te laisser là. J'espère que c'était aussi bien pour toi que pour moi. J'espère que ça t'a fait du bien pareil. Je vais te laisser là.

Elle ouvre une première bouteille de whisky, en boit autant qu'elle peut d'une seule traite. Elle s'étrangle en avalant parce qu'elle pleure en même temps. Elle vide le reste de la bouteille sur la petite à terre. L'embrasse doucement au milieu du ventre couvert de whisky. Chiale à torrents, frotte son front contre ce ventre. À travers ses larmes, elle voit les ongles rouges brillants et immobiles. Elle vide une autre bouteille sur le corps. Elle le recouvre soigneusement. En verse une troisième.

Maintenant, chaque fois qu'elle y pensera, ça sera d'abord comme ça. En sous-bois, jolie lumière, la gorge arrachée et mouillée de whisky.

Elle repense à Francis. Ça semble tellement loin. Bouclage de boucle. Heureusement que « toujours » elle peut compter ça en heures.

Elle cherche son briquet et fait cramer une carte routière. La tient à bout de bras jusqu'à ce qu'elle ait bien pris feu. La balance sur le corps. Ça aussi c'était vrai, le whisky brûle bien. Le corps se recouvre d'une flamme courte et uniforme, une couverture qui danse. Le premier truc qui crame, ce sont les cheveux, en grésillant. L'odeur est forte. Puis une nouvelle odeur, celle de la peau. Ça fait penser aux desserts flambés dans les restaurants.

Nadine s'appuie contre l'arbre pour vomir. Elle continue à sangloter, ce qui fait que la gerbe sort par saccades et l'étouffe. Elle ravale du vomi qu'elle recrache aussitôt, elle tombe à genoux dans la gerbe et ne cherche pas à se relever.

Plus tard, elle remonte dans la voiture. L'auto-radio à fond.

*The monopoly of sorrow.*

Il y a une tache sombre de sang sur la banquette arrière. Machinalement, Nadine réfléchit que ça ne se remarque pas trop sur la housse sombre.

Elle se regarde dans le rétroviseur. Elle a moins l'air d'un mec avec ses yeux bouffis.

Elle décide d'aller au rendez-vous avec Fatima.

*I went in war with reality. The motherfucker, he was waiting for me. And I lost again.*

Ça ne fait pas une semaine qu'elles se connaissaient.

# TROISIÈME PARTIE

Elle fait un premier tour du parking au ralenti. Elle ne pleure plus. Crampes aux mains car elle serre le volant trop fort. Elle écrase une cigarette dans le cendrier à côté de la boîte de vitesses. En rallume aussitôt. Parcourt des yeux la foule sur le parking. Elle a mis les lunettes de soleil de Manu. Elle a du mal à faire attention, à se souvenir qu'elle cherche Fatima parmi ces gens. Elle pense dans le désordre, par saccades. N'importe quoi lui vient à l'esprit. Elle aime bien laisser la musique lui venir dans la tête et y prendre tout l'espace. *Elle peut tous nous choisir pas besoin de courage.* Le morceau se confond bien avec sa propre angoisse, une réalité sonore adéquate. Comme une manifestation dehors de ce qui se détraque dedans. *La peur est là, on ne la voit pas, on ne la sent pas, on peut la sentir sur les routes la nuit. C'est la dame blanche.*

L'araignée tisse sa toile entre elle et l'extérieur, lui donne du calme en retour. Elle est bouclée au fond d'elle-même.

Elle fait un deuxième tour, elles s'étaient dit vers la station-essence. Son esprit se barre et lui balance des images de Manu, en vrac.

Fatima est appuyée à un panneau de numérotation d'allée, l'allée 6. Tarek est assis par terre à côté d'elle, une bouteille de Coca en plastique entre les jambes. Nadine se demande si elle a envie de les voir.

Ils viennent vers elle. Nadine se rend compte qu'elle doit avoir un visage très particulier, à l'expression qu'ils prennent en approchant. Elle reste debout, immobile, attend qu'ils la rejoignent.

Tarek lui sourit largement :

— Je ne t'avais même pas reconnue.

Il est un peu embarrassé, il ne sait pas bien quoi dire. Il la dévisage avec une inquiétude grandissante. Elle aime bien sa voix, mais elle ne trouve rien à lui dire. Fatima la considère et ses yeux sont plus sombres que jamais. Elle l'enlace sans hésitation, la serre contre elle pour la consoler et, quand Nadine recommence à pleurer, elle la broie contre sa poitrine.

Puis Nadine s'écarte d'elle, dit :

— Elle s'est fait descendre, il y a une heure. Une connerie.

Les mots sortent mal prononcés. Le ton sur lequel elle l'a dit est vraiment saugrenu, déplacé. Elle ne veut pas parler. Ils sont en dehors de tout ça, inexorablement, même si Fatima est chaude et vivante. L'araignée a fait du bon travail, la toile est plus solide et opaque qu'un mur. Une partie de son cerveau s'est tranquillement détachée et la regarde faire. Se tenir droite sans rien dire, suivre Tarek à la voiture.

Elle ne pleure plus. Elle est abasourdie et fatiguée. Elle se laisse conduire. Tarek s'assoit derrière avec elle, lui parle doucement. Il explique qu'ils vont dans un Formule 1, que ça ne craint rien, qu'ils s'occupent de tout. Il lui demande si elle veut boire quelque chose.

Elle voudrait qu'il lui foute la paix, mais elle ne dit rien. Elle regarde par la fenêtre. Elle se sent loin de ce monde, incapable de trouver un signe connu d'elle que ces gens comprendraient.

Dehors, les maisons sont grises même avec le soleil qui leur coule dessus, pas de couleur à faire exploser. Des gens font un constat au bord de la route, ils se sont rentrés dedans. Un gamin court après un gamin plus petit sans qu'on sache s'ils jouent ou s'ils se battent sérieusement. Un groupe de filles attend le bus, elles sont habillées court. Elles ont toutes les mêmes cheveux bruns et lisses. Un groupe de Rebeux discutent sur un banc, regardent passer les gens en fumant des clopes. Tarek continue de lui parler.

Nadine demande brusquement :

— Et Noëlle ? Vous l'avez trouvée ?

Fatima répond qu'elle n'est pas venue au rendez-vous. Nadine se désintéresse de ce qu'elle explique ensuite. À la vitre passent un hôtel délabré, puis un restaurant avec une terrasse fleurie et des gens habillés pour l'été, une école comme on en construisait dans les années 70, contreplaqué gris et rose. Les grilles des magasins sont baissées, il est plus tard que 7 heures.

Ses mains bougent sans arrêt, sans qu'elle y prête attention. Remettent ses cheveux en place, ouvrent un bouton de sa chemise et le referment aussitôt, se posent sur ses genoux, pétrissent sa nuque, remettent ses lunettes, frottent ses yeux. Tarek prend ses mains dans les siennes, les enferme dans les siennes. Le geste est implorant. Il les serre davantage. Elle se colle contre lui, s'agrippe à lui, enfonce son visage dans son cou. Le contact de son corps lui fait d'abord du bien et elle tâche de s'engouffrer dans lui. Puis elle retombe brusquement. Se voit faire et comprend que ça ne sert à rien. Elle se rassoit, droite sur son siège. Elle aimerait lui dire quelque chose pour le rassurer. Elle n'a pas envie de parler. Elle sort son walkman.

*Ouverte sur le noir, la nuit, tu peux y voir brûler ses yeux, l'éclat du feu, la peur est une bête qui adore que tu saches pleurer.*

Quand ils arrivent sur le parking elle dit : « Je vous laisse là. » Tarek la prend par le bras, elle voudrait qu'il arrête de la toucher. Il dit presque méchamment :

— T'es pas en état, tu restes là. Tu dors un peu, tu verras plus tard.

Elle les suit. Fatima ne dit rien. Elle regarde par terre fixement et sa mâchoire est crispée. Ils entrent dans une chambre, une de ces chambres à trois lits avec la télé.

Ils s'installent tous les trois sur le grand lit, allument la télé. Nadine a les yeux qui brûlent. Elle fume des clopes et les joints qu'on lui passe. Le film s'appelle *Y a-t-il un Français dans la salle*. Un flic vicieux offre un rasoir à une vieille dame parce qu'il veut qu'elle se rase la chatte et qu'un copain à lui les prenne en photo en train de le faire debout.

Elle se retrouve avec une bouteille de whisky en main et comprend que le frère ou la sœur a pensé à aller lui en acheter. Elle n'a pas remarqué que l'un d'eux était sorti.

Nadine regarde Fatima et se rend compte qu'elle est triste aussi, vraiment triste que Manu ne soit pas là et de ne plus jamais la voir.

Elle va partir avec son frère, avec l'argent des diams. Elle n'est pas contente. Elle sait qu'on les rattrapera. Même pas forcément la loi, mais sa logique à elle. Elle crèvera comme une chienne, elle peut se démener comme une furie, elle crèvera comme une chienne. Parce qu'elle a ça dans le sang, elle est taillée pour la misère. Sa gueule dans son propre sang et chaque histoire finira mal.

Elle demande à Nadine : « Et qu'est-ce que tu vas faire ? » Mais elle n'attend pas de réponse. Elle semble savoir ce qui va se passer. Elle se retourne contre le mur et restera toute la nuit les yeux grands ouverts, à attendre le jour pour rentrer chez elle.

Tarek enlève son pull et son jean, se glisse sous les draps. Nadine se demande pourquoi ils dorment dans le même lit. Ils s'endorment dos à dos.

Elle se réveille dans la nuit. La peine en pente douce, juste un poids. Elle cherche la bouteille à tâtons, ses clopes et un briquet. Elle met son walkman : *Caresse la peur*.

Tarek se penche au-dessus d'elle pour attraper le paquet de cigarettes. Elle est déçue qu'il se réveille. Elle sait qu'ils vont faire l'amour et qu'ils ne devraient surtout pas. Elle ôte son casque à regret :

— Il paraît que quand on t'ampute d'un bras, au début, tu sens encore ce bras. Ça me fait pareil. Elle est encore là. C'est pour ça, j'ai encore un peu de ce courage à elle et il faut que je parte demain.

Il l'embrasse, il s'enroule autour d'elle. Il ne touche pas ses seins ni son ventre ni son sexe, il la pétrit en haut des cuisses et aux hanches, elle noue ses jambes autour de sa taille. Elle le sent dans son ventre, à force de se frotter il y est venu naturellement. Elle sent qu'il cherche à lui donner de sa force à lui, à lui ôter du poids. Ils transpirent beaucoup, lèchent leurs plaies l'un contre l'autre. Nadine se laisse aller sous lui, calmée pour un instant. C'est de l'amour qu'il veut lui faire entrer dans le corps et elle s'ouvre autant que possible.

En même temps, elle se sent désolée. Son corps est encombrant, elle est enterrée vive sous lui. Nausée. Elle s'écarte doucement pour échapper à cette étreinte. Tarek caresse sa hanche et l'enlace tendrement. Elle réprime spontanément le geste de repli auquel son corps aspire. Sa peau chaude est visqueuse. L'innocente confiance avec laquelle il vient vers elle l'écœure violemment.

Elle s'écarte avec lenteur, feignant l'inconscience du demi-sommeil. Puis du sommeil profond lorsqu'il demande gravement si elle compte rester avec eux.

Elle attend patiemment qu'il respire plus régulièrement, rassemble ses affaires à tâtons puis sort s'habiller à la hâte dans le couloir obscur. Ça lui rappelle quand, adolescente, elle faisait le mur. Fébrile appréhension de se faire surprendre, inouï soulagement une fois le seuil franchi. Dehors, l'air se fait plus respirable.

Comme d'habitude, le bruit au walkman lui donne la BO adéquate, elle marche au bord d'une nationale, croise d'immenses panneaux publicitaires où des femmes exhibent leurs poitrines.

Elle s'examine attentivement l'âme, la retourne sous toutes les coutures. À la recherche d'une marque de regret, de peine de les quitter sans même dire au revoir. Mais elle n'y trouve qu'un infini plaisir à marcher dans la nuit. Délivrance presque charnelle, c'est à la tiédeur qu'elle échappe.

Elle s'en fout d'être lâche et de fuir les discussions. Elle marche droit devant, en attendant de reconnaître l'endroit.

Il lui est venu une incommensurable force, elle est pleine de certitude et de calme.

Le jour se lève, il fait déjà chaud. Elle marche face au soleil montant. Elle entre dans la ville.

Des images lui reviennent, des bribes de conversation. La mémoire est une drôle de chose, qui redistribue les données sans souci hiérarchique ou chronologique.

Le corps embrasé dans les sous-bois devient une image de fête, c'est l'éclairage qui a changé, c'est un jour de félicité.

Rencontrer sa pareille. Toutes ces élucubrations sur l'âme sœur lui semblaient tellement suspectes. Elles n'ont été regardantes sur rien.

Elle croise des gens qui partent travailler. N'importe lequel d'entre eux peut la reconnaître et la désigner en hurlant. Elle n'est pas tendue mais très attentive, prête à se brûler la cervelle au moindre fait suspect.

Elle marche les doigts noués autour de la crosse, comme si elle donnait la main à un amant très attentionné.

Ils ne la rattraperont pas.

Elle ne se sent ni fissurée ni hésitante, elle marche droit devant.

Arrivée dans le centre-ville – elle a marché longtemps vu le nombre de morceaux qui ont défilé au walkman – elle achète une bouteille de whisky et du chocolat. Le soleil est tout en haut et brûle du mieux qu'il peut.

Elle s'installe sur un banc dans un square plein de verdure et de jeux pour enfants. *Burn it clean*. Les yeux mi-clos, boit l'alcool tiède par petites gorgées gourmandes. Elle se laisse écraser par la chaleur, le soleil généreux pour la dernière des putes.

Du bout des doigts, elle caresse la crosse et branle le canon, caresse le métal comme pour le faire durcir et se tendre, qu'il se décharge dans sa bouche comme du foutre de plomb.

Elle est prête, étonnée d'être aussi paisible. Elle sort son flingue de sa poche, elle est gorgée de soleil. C'est à Manu qu'elle va penser quand le coup va partir, elles resteront ensemble.

Elle est à plat ventre par terre. Les bras solidement maintenus vers l'arrière par un homme à genoux sur elle. Désarmée, encerclée. Ils ont surgi sans qu'elle ait le temps de comprendre quoi que ce soit. Certains sont en civil et d'autres en uniforme. À quelques pas de là s'élève la clameur des passants rassemblés qui comprennent qui elle est et se félicitent de l'avoir capturée. Elle sent son sang dans sa bouche. Elle s'est mordu la lèvre en tombant.

Ces choses qui devaient arriver. On croit pouvoir y échapper.

*Du même auteur :*


LES CHIENNES SAVANTES, Florent Massot, 1996 ;
Grasset, 2001.
LES JOLIES CHOSES, Grasset, 1998.
MORDRE AU TRAVERS, Librio, 2001.
TEEN SPIRIT, Grasset, 2002.
BYE BYE BLONDIE, Grasset, 2004.
KING KONG THÉORIE, Grasset, 2006.
APOCALYPSE BÉBÉ, prix Renaudot, Grasset, 2010.
VERNON SUBUTEX, tome 1, Grasset, 2015.
VERNON SUBUTEX, tome 2, Grasset, 2015.
VERNON SUBUTEX, tome 3, Grasset, 2017.

Le Livre de Poche s'engage pour
l'environnement en réduisant
l'empreinte carbone de ses livres.
Celle de cet exemplaire est de :
200 g éq. $CO_2$
Rendez-vous sur
www.livredepoche-durable.fr

PAPIER À BASE DE
FIBRES CERTIFIÉES

Composition réalisée par PCA

Achevé d'imprimer en France par
CPI BRODARD & TAUPIN (72200 La Flèche)
en septembre 2022
N° d'impression : 3049908
Dépôt légal 1re publication : mars 2016
Édition 13 - octobre 2022
LIBRAIRIE GÉNÉRALE FRANÇAISE
21, rue du Montparnasse – 75298 Paris Cedex 06